DE
SLOW COOKER

SARA LEWIS

DE
SLOW COOKER

DE NIEUWE MANIER VAN KOKEN

Voor mijn moeder en mijn schoonmoeder – twee enthousiaste fans van werken met de slow cooker.

Eerst in 2003 in Groot-Brittannië uitgegeven door Hamlyn een onderdeel van de Octopus Publishing Group Ltd

NEDERLANDSE UITGAVE

Uitgever: Bert J. Jans

Vertaling: Kim Maclean

Gezet door V.O.F. Peters en Ellenbroek, Amsterdam

Eerste Nederlandse druk 2006

© 2006 Good Cook Publishing

Good Cook Publishing ® is een geregistreerd handelsmerk van Kamphuis G E B.V.

Zwolle, Nederland

ISBN 90 7319 139 4

EAN 978 90 7319 139 6

NUR-code 440

Opmerkingen

In alle recepten worden afgestreken maatlepels gebruikt.

1 eetlepel = een maatlepel van 15 ml

1 theelepel = een maatlepel van 5 ml

Sommige fabrikanten geven aan dat de slow cooker voor gebruik moet worden voorverwarmd. Raadpleeg de gebruiksaanwijzingen van de slow cooker die u heeft gekocht en volg als dat nodig is de opgegeven instellingen en tijden voor het voorverwarmen.

Gebruik medium scharreleieren, tenzij anders is aangegeven.

Gebruik halfvolle melk, tenzij anders is aangegeven.

Peper moet altijd versgemalen zijn, tenzij anders staat aangegeven.

Gebruik altijd verse kruiden, tenzij anders is aangegeven. Gebruik gedroogde kruiden als u geen verse kunt krijgen, maar neem dan alleen een snufje.

In een paar recepten komen noten en op noten gebaseerde producten voor. Iedereen die aan een notenallergie lijdt, moet deze recepten vermijden. Voor kinderen onder de drie jaar met een familiegeschiedenis van notenallergie, astma, eczeem of andere soort allergie wordt het eten van gerechten met noten erin afgeraden.

Inhoud

Inleiding

Slow cooking is de nieuwe manier van koken – een duidelijke reactie op jaren van smakeloos, in de magnetron opgewarmd instant-eten. Al sinds de jaren '70 van de vorige eeuw zijn er slow cookers, maar in tegenstelling tot de koffiedame uit diezelfde tijd, vieren ze nu een triomfantelijke comeback. Als u er zelf al niet een heeft, kan het heel goed zijn dat uw moeder er al een had. Dus haal hem achter uit de kast en maak hem schoon, of overweeg er zelf een te kopen. De slow cooker is een tijdbesparende, economische, gezonde en veelzijdige manier van koken en daarom een must voor het leven van nu.

De voordelen van slow cooking

• Het verhoogt de natuurlijke smaken van voedsel

• Het bespaart tijd en geld

• U gaat gewoon aan het werk en laat het eten op staan, zonder dat u bang hoeft te zijn voor aanbranden of droogkoken

• Dit is 'gemaks-eten', maar met een verschil – zelfgemaakt eten zonder de verdachte kleurstoffen, toevoegingen of conserveermiddelen van kant-en-klaar gekocht eten

Boeuf bourguignon met mierikswortelknoedels – hartverwarmend eten op zijn best.

Tijd besparen

Het fijne van werken met de slow cooker is dat het elektrische apparaat het eten langzaam tot aan 8-10 uur kookt. Dus als u eenmaal de benodigdheden in de pan heeft gedaan, kunt u het eten gewoon laten sudderen. Het zal niet aanbranden, droogkoken of uitdrogen en u rustig uw gang laten gaan:. naar werk, op kinderen passen of genieten van vrije tijd. In de ochtend even een kwartiertje nemen voor het opzetten van een hartige, zelfgemaakte soep, een rijke kasserol of vegetarische hoofdmaaltijd is goed bestede tijd. Wat kan er beter zijn dan na een uitputtende dag thuis verwelkomd worden door de geuren van een gerecht dat zo kan worden opgeschept?

Economisch

Een slow cooker is economisch en milieuvriendelijk. Waarom een conventionele oven gebruiken als u de slow cooker aan kunt zetten? Die gebruikt immers veel minder energie. Omdat het eten ook langzaam kookt, kunt u goedkopere stukken vlees of gedroogde peulvruchten tot in perfectie gaar koken, waardoor werken met de slow cooker ideaal is voor mensen met een smalle beurs, zoals studenten.

Een gezonde manier van leven

Een slow cooker is ook gezonder. De slow cooker is ideaal voor gedroogde bonen, linzen en spliterwten – week alle peulvruchten eerst en kook geweekte bonen 10 minuten voor u ze in de pan van de cooker doet. Peulvruchten zijn niet alleen een goede bron van vezel, maar leveren ook eiwit, dat essentieel is voor alle mensen op een vegetarisch dieet. Omdat groenten en fruit ook in hun eigen sappen worden gekookt en opgediend, gaan er geen vitale mineralen en vitaminen verloren. Het belangrijkste is dat u precies weet wat er in het gekookte gerecht zit – verse ingrediënten die zonder onnodige toevoegingen en chemische smaakgevers zijn bereid.

Veelzijdig

Een slow cooker is erg veelzijdig. Ja, u kunt er fantastische stoofpotten in maken, maar u kunt er ook gebraad, soepen, bijgerechten en desserts in bereiden. Vul de pan van de slow cooker met warm water en gebruik hem dan als stomer voor vis, of als bainmarie (waterbad) voor nagerechten in custardstijl. U kunt hem zelfs gebruiken voor fondues van kaas of chocolade, chutneys en confituren, of bisschopwijn.

Het alle touwtjes van het moderne leven in handen houden kan moeilijk zijn, maar met een slow cooker weet u tenminste dat u zich geen zorgen hoeft te maken over de avondmaaltijd. Houd de slow cooker altijd op het aanrecht. Als u eenmaal de routine heeft van het opzetten van een maaltijd voor u de deur uitgaat, zult u zich later nog maar moeilijk kunnen voorstellen hoe u het ooit zonder een heeft gedaan.

Een slow cooker kan ook dienst doen als bain-marie (waterbad), waardoor hij ideaal is om er crème brûlée en andere custardgerechten als panna cotta en crème caramel in te maken.

Gezinnen met baby's of kinderen – het is een hele klus om voor een jong gezin te zorgen. U wordt ongetwijfeld in alle vroegte wakker gemaakt, dus waarom daar niet gebruik van maken en de avondmaaltijd opzetten? Als u dan 's avonds vroeg moe thuiskomt, staat de maaltijd op u te wachten! Een maaltijd bereiden in een slow cooker geeft u ook de tijd om aandacht te besteden aan oudere kinderen die 's middags van school thuis komen.

Studenten – een slow cooker is ideaal voor het koken van goedkope stukken vlees of vegetarische schotels, dus je kunt als student een gezonde, voedzame maaltijd maken voor minder geld dan een bezoek aan de snackbar.

Werkende stellen – het lijkt misschien een hele klus om voor u naar werk gaat de maaltijd op te zetten, maar als u het eenmaal heeft geprobeerd, zal het aantrekkelijker blijken dan 's avonds zodra je moe thuiskomt meteen moeten gaan koken.

Gepensioneerden – een slow cooker kan worden ingeschakeld terwijl u geniet van een dag op de golfbaan, winkelen of gewoon heerlijk ontspannen. De slow cooker is niet alleen geschikt voor het bereiden van goedkopere stukken vlees, maar ook als u op informele wijze gasten wilt ontvangen.

Een slow cooker kiezen

Met hun prachtige eigentijdse design zal het nieuwe scala aan slow cookers absoluut niet misstaan in zelfs de meest trendy keukens.

Slow cookers zijn hun stoffige imago kwijt en zijn nu helemaal in met een scala aan verschillende maten en stijlen. Kies er bijvoorbeeld een in een trendy chroom-met-zwarte afwerking en met een aardewerk pan erin, of een meer traditioneel roomkleurig, wit of groen apparaat. Als u voor het eerst een slow cooker gaat kopen, kies dan een model met een uitneembare pan omdat daaruit veel makkelijker te serveren is en hij ook beter schoon te maken is. Het formaat is ook belangrijk, dus kies een cooker die geschikt is voor de behoeften van uw gezin en de ruimte in uw keuken.

Alle slow cookers werken op een laag wattage en gebruiken ongeveer evenveel energie. Ze zijn zo goed geïsoleerd dat hoewel ze urenlang aan kunnen staan, uw keuken niet vol stoom zal raken. Ook hoeft u geen water bij te vullen of erbij te blijven.

Welke inhoud?

Op de verpakking van slow cookers staat meestal de totaalinhoud vermeld. Hoewel dit belangrijk is, is de eigenlijke kookinhoud van veel groter belang.

- Een standaard slow cooker heeft een totale inhoud van 3,5 liter, met een maximum kookinhoud van 2,3 liter. Dit is ideaal voor een gezin van twee volwassenen en twee kinderen.

- Een iets grotere slow cooker van 5 liter met een maximale kookinhoud van 4 liter is geschikt voor vier volwassenen.

- Een extra grote slow cooker van 6,5 liter is ideaal voor een gezin van zes omdat dit model een maximale kookinhoud van 4,5 liter heeft.

Voor het beste resultaat wordt een slow cooker voor de helft gevuld, dus onthoud dat wanneer u een slow cooker gaat kopen. De extra grote maat is natuurlijk mooi, maar als u geen groot gezin heeft, moet u misschien grotere hoeveelheden ingrediënten gebruiken dan u gewend bent. Dit kan twee dagen hetzelfde eten betekenen of de extra porties invriezen.

Tijdscontrole

Verschillende merken slow cooker kunnen verschillen wat de vormgeving en inrichting van het bedieningspaneel betreft. Ze hebben allemaal de standen 'hoog', ' laag' en 'uit', terwijl sommige ook de standen 'medium' of 'warm' hebben. Alle recepten in dit boek zijn getest op de standen 'laag' of 'hoog'. Als u de kooktijd wilt verkorten of verlengen, kunt u de rechts opgegeven tijden als richtlijn gebruiken. Misschien moet u de tijden aanpassen, afhankelijk van het bereide eten en de voorkeuren van uw gezin.

Voor het merendeel van de recepten zijn variabele tijden opgegeven, waarbij er veel in 8–9 of 8–10 uur klaar zijn. Dit betekent dat het eten bij de vroegst

Kies een maat slow cooker die past bij uw gezin.

opgegeven tijd klaar zal zijn, maar zonder risico nog een extra uur op kan blijven staan, of zelfs twee uur, afhankelijk van het recept, wat ideaal is als u op weg naar huis in het verkeer wordt opgehouden of een van de kinderen te laat binnenkomt.

'laag'	'medium'	'hoog'
6–8 uur	4–6 uur	3–4 uur
8–10 uur	6–8 uur	5–6 uur
10–12 uur	8–10 uur	7–8 uur

(tijden overgenomen uit het handboek voor de slow cooker van Morphy Richards)

De stand 'warm' is ideaal als u laat bent en nog niet klaar voor het eten bent. Op deze stand wordt het gerecht zonder risico warmgehouden.
Gebruik deze stand alleen voor een gerecht dat al in de slow cooker wordt gekookt en niet voor koud eten dat u wilt opwarmen.

Uw cooker kan ook een stand 'auto' of ' auto cook' hebben. Dit betekent dat het apparaat op een hoge-re temperatuur begint te koken en dan automatisch zal overschakelen op een lagere temperatuur. De temperatuur wordt door een thermostaat geregeld en in sommige gevallen kan het waarschuwingslampje tijdens het koken aan en uit gaan. Raadpleeg voor een overzicht van de tijden en instellingen de gebruiksaanwijzing voor uw apparaat.

Extra benodigdheden

Een zware koekenpan – voor het dichtschroeien van voedsel voor dat in de slow cooker gaat.

Maatlepels – voor het afmeten van olie, kruiden, specerijen en andere ingrediënten.

Een schuimspaan en grote opscheplepel – voor het in en uit de slow cooker scheppen van voedsel.

Omgevouwen repen aluminiumfolie of neteldoek – voor het makkelijker uit de pan van de slow cooker tillen van gestoomde en andere zaken. Scheur bij gebruik van aluminiumfolie twee stukken folie af en vouw elk stuk drie keer om, zodat u een lange, smalle 'reep' krijgt. Leg een reep dwars over de andere in een kruis en zet de stoomvorm op de plek waar de repen kruisen. Til dan de beide uiteinden van de repen naar elkaar toe, zodat u de vorm kunt optillen. U kunt ook een stuk touw om en net onder de rand van de vorm binden en het touw boven de vorm in een dubbele lus als handvat knopen.

Een schotel of individuele taartringvorm – voor het optillen van een kom uit de pan van de slow cooker bij het bereiden met een waterbad. Een omgekeerde schotel is ideaal bij het koken van voedsel in een grote vorm, terwijl een kleine ringvorm een goede basis is voor ondiepere schotels of taartblikken.

Ovenhandschoenen – voor het uit het apparaat tillen van de pan om die op tafel te zetten, of voor het uit de pan nemen van kommen en dergelijke.

Onderzetter – ter bescherming van de tafel of het werkvlak als u eten direct uit de pan van de slow cooker serveert.

9

Uw slow cooker gebruiken

Omdat een slow cooker voedsel zo zachtjes verwarmt, is het de ideale manier om vlees, vis, gevogelte en groenten te bereiden. Omdat ze met bouillons en sauzen worden bereid, blijven ze vochtig en vol van smaak. Omdat er weinig verdamping plaatsvindt, droogt het voedsel niet uit en krijgt zelfs het goedkoopste stuk vlees een sterrenbehandeling.

Bij de meeste hartige recepten in dit boek worden de ingrediënten eerst dichtgeschroeid in een koekenpan, zodat hun uiterlijk en smaak beter worden. Dan worden ze voor het binden bestoven met bloem voor ze de slow cooker in gaan, of er wordt aan het eind van de kooktijd een papje van maïzena en koud

Bespaar tijd door uw groenten de avond tevoren te bereiden en ze dan met een beetje water in een luchtdicht afgesloten bak in de koelkast te bewaren.

water door geroerd. Als u het dichtschroeien wilt overslaan, kunt u gewoon blokjes, plakken of gehakt vlees of stukken kip zo uit de koelkast in de slow cooker doen, samen met de in blokjes gesneden groenten. Zet alles dan onder kokende bouillon. U moet dan de kooktijd verlengen, tot wel 2–3 uur extra als u het eten op 'laag' kookt. Laat u niet in de verleiding brengen om tijdens de eerste helft van de kooktijd het deksel op te tillen, want dan moet u de kooktijd weer met 20 minuten verlengen.

Ongeacht of u de ingrediënten eerst dichtschroeit, doe altijd heet vocht in de pan van de cooker.

Moet de slow cooker worden voorverwarmd?
Of dat nodig is, hangt van het merk en model slow cooker af. Sommige slow cooker pannen moeten als ze leeg zijn worden voorverwarmd, met de cooker minstens 20 minuten op 'hoog'. Andere mogen zonder voedsel erin niet worden voorverwarmd. Raadpleeg de gebruiksaanwijzing voor u begint.

Hoe vol moet de pan zijn?
Zorg er voor een goed resultaat voor dat de slow cooker minstens voor de helft is gevuld, of, als hij voller is, dat er tussen het voedsel en de rand van de pan minsten 3–5 cm ruimte is. Stukken vlees mogen niet meer dan tweederde van de ruimte in beslag nemen. Zorg er bij gebruik van een vorm voor dat er in een ronde pan rondom 1,5 cm ruimte is, of 1 cm in een ovale slow cooker.

De zaken op orde brengen
Als u de slow cooker voor u 's ochtends naar werk gaat wilt opzetten, kan het handig zijn om de avond tevoren het gerecht deels voor te bereiden. Snipper de ui en doe hem in een kleine plastic zak. Doe in blokjes gehakte groenten met wat water in een plastic bak en voeg de volgende dag ook het water aan

Bak voor de beste smaak uien en vlees even voor voordat u ze in de pan van de slow cooker doet.

de pan van de cooker toe. Snijd vlees in blokken of plakken en verpak die in plasticfolie of aluminiumfolie.

Bewaar alle ingrediënten in de koelkast en schroei ze de volgende ochtend dicht – terwijl u zo nodig de slow cooker voorverwarmt. Giet kokend water over een natriumarm bouillonblokje voor hete bouillon, of verhit de bouillon in de koekenpan waarin u het vlees heeft dichtgeschroeid. Doe de ingrediënten in de pan van de slow cooker. Sluit het deksel en laat alles rustig koken terwijl u weg bent.

Uw eigen recepten aanpassen

Als u eenmaal aan uw slow cooker gewend bent en meerdere recepten uit dit boek heeft gemaakt, weet u hoeveel u nodig heeft om de pan van de cooker voor de helft te vullen. Pas uw favoriete recepten aan door in dit boek iets soortgelijks te vinden met dezelfde hoeveelheid hoofdingrediënt en hoeveelheid vocht. Gebruik dit als richtlijn en volg de aangegeven tijden en temperatuurinstellingen. Verminder wel de hoeveelheid vocht in het oorspronkelijke recept omdat er in de slow cooker bijna geen verdamping plaatsvindt. Controleer voor het opdienen altijd of groenten en vlees volledig gaar zijn.

Gebruik een slow cooker voor...

Bouillon trekken – doe een kipkarkas in de pan van de cooker en breek het zo nodig in stukken. Doe er stukken groenten bij, zoals prei of stengels bleekselderij, 2 in vieren gesneden wortels en een in vieren gesneden ui. Voeg als smaakgever wat verse of gedroogde kruiden toe en zet alles dan onder kokend water. Sluit het deksel en laat een dag of nacht op 'laag' koken. Zeef de bouillon en zet hem zodra hij is afgekoeld in de koelkast of diepvries.

Kaasfondue maken – doe in de pan van de cooker 300 g geraspte Emmentaler, 300 g Gruyère, 3 dl droge witte wijn, een beetje Kirsch, knoflook uit de knijper, geraspte nootmuskaat en wat zout en peper. Sluit het deksel op en laat 2–4 koken op 'laag'.

Sneller marmelade maken – laat hele Sevilla-sinaasappels met de in het recept opgegeven hoeveelheid water in 3–4 uur zachter worden in de slow cooker op 'hoog' of in 6–8 uur op 'laag' . Neem uit de pan van de cooker. Snijd de sinaasappels in dunne plakken en kook ze met het kooknat en suiker in de inmaakpan.

Onderhoud en schoonmaken

Zorg dat uw slow cooker na het gebruik is uitgeschakeld, zowel op het bedieningspaneel als met de stekker uit het stopcontact. Probeer nooit een deel van de cooker schoon te maken als dat niet volledig is afgekoeld. Zet het apparaat ook pas in de kast als het volledig koud is. Raadpleeg de volgende richtlijnen voor het schoonmaken van de cooker, maar lees ook de gebruiksaanwijzing van uw apparaat. Zorg ervoor dat de stekker en het snoer te allen tijde droog zijn.

Slow cookers zijn makkelijk in het onderhoud – veeg na gebruik de buitenkant van de afgekoelde slow cooker schoon en dompel het onderstuk nooit in water.

Pan en deksel van de slow cooker

Was het deksel en de aardewerk pan in warm water met zeep. Zorg dat er geen stukjes voedsel in een eventuele luchtsleuf in het deksel zitten. Verwijder etensresten met een afwasborstel. Bij sommige merken wordt aangegeven dat de pan in de vaatwasmachine mag, maar raadpleeg de gebruiksaanwijzing. Vul bij moeilijke vlekken de pan van de slow cooker met warm water met afwasmiddel maar dompel de buitenkant van de pan niet onder in water – de basis is poreus en zal water opnemen. Bij een volgend gebruik in de slow cooker kan hij dan barsten.

Onderstuk van de slow cooker

Veeg de buitenkant van de slow cooker schoon en wrijf na met een theedoek. Gebruik geen schuurmiddelen, al helemaal niet als het apparaat in chroom is afgewerkt. Veeg de binnenkant van de cooker schoon. Als hij na veelvuldig gebruik erg vuil is, kunt u wat schoonmaakmiddel op een uitgewrongen vaatdoek gebruiken en dan nadrogen met keukenpapier.

Slow cooker kennis

- De buitenkant van de slow cooker wordt na inschakelen heet, dus zorg ervoor dat jonge kinderen weten dat ze hem niet mogen aanraken

- Kook voedsel nooit direct in het onderstuk, gebruik altijd de aardewerk pan

- Zorg dat het elektriciteitssnoer niet op het werkvlak of bij het fornuis ligt

- Zorg dat als er een stoomspleet in het deksel zit dat de slow cooker nooit direct onder een lage keukenkast staat, omdat iemand zich bij het openen van de kast dan lelijk kan branden

- Zet de slow cooker nooit in water

Top tien tips

1 Zorg ervoor dat diepgevroren voedsel zoals vlees, gevogelte, vis en fruit volledig ontdooid is voor u het in de slow cooker doet. Diepgevroren groene groenten zijn de uitzondering. U hoeft die voor gebruik niet te laten ontdooien.

2 Bij de bereiding van stukken vlees zoals een hele kip, een stuk rundvlees of wild, zijn het formaat en de vorm belangrijk. Houd het stuk in het onderste tweederde deel van de pan en zet het helemaal onder heet vocht. Voor een standaardmaat slow cooker met een totale capaciteit van 3,5 liter, of een grote van 5 liter, mag u geen zwaarder stuk vlees dan van 1 kg gebruiken, hoewel u een groter stuk van 1,5 kg in de grotere pan kunt doen nadat u het in tweeën heeft gesneden.
In een extra grote cooker met een capaciteit van 6,5 liter kunt u een stuk van 1,5 kg in zijn geheel bereiden. Controleer voor het opdienen altijd of het vlees helemaal gaar is – met behulp van een thermometer of door de punt van een scherp mes in het dikste deel te steken – bij gaar vlees loopt er dan helder sap uit.

3 Gedroogde bonen moeten een nacht in koud water weken. Giet ze dan af, spoel ze en laat ze 10 minuten stevig koken in een pan vers water voor u ze in de pan van de slow cooker doet.

4 U hoeft linzen niet te laten weken voor u ze in de slow cooker doet.

5 Reken bij het koken van rijst op 1,5 dl water voor elke 100 g rijst. Hoewel basmatirijst en witte langgraanrijst voldoen, is snelkookrijst beter omdat die al deels is voorgekookt en bij de bewerking een deel van het zetmeel is verwijderd, waardoor hij na het koken minder kleverig is.

Voor elke keer dat u het deksel van de slow cooker neemt, moet u 10–15 minuten aan de totale kooktijd toevoegen.

6 Als u pasta aan het begin van een recept toevoegt, wordt hij wat slap, tenzij het om een korte kooktijd gaat. Schep voor het beste resultaat kleine pastavormpjes 30–45 minuten voor het eind van de kooktijd door de inhoud van de pan van de slow cooker.

7 Voeg schaal- en schelpdieren pas voor de laatste 20–30 minuten kooktijd toe. Hetzelfde geldt voor slagroom.

8 Houd u bij het gebruik van melk aan de tijden in het recept en kom niet in de verleiding de gerechten langer te koken, omdat de melk dan zal schiften. Voeg bij soepen of sauzen de melk pas tegen het eind van de kooktijd toe.

9 Wortelgroenten hebben meer kooktijd nodig dan vlees, dus snijd ze in blokjes van maximaal 1,5 cm als u alle ingrediënten samen kookt. Zorg ook dat de blokjes onder het vocht blijven zodat ze gelijkmatig gaar worden.

10 Het voedsel moet bedekt zijn met vocht, jus of saus, zodat het tijdens het koken niet uitdroogt.

Soepen en voorgerechten

Knolselderijsoep

met Roqueforttoost

Deze fluwelige soep wordt gegarneerd met een geroosterd sneetje stokbrood met wat Roquefort erop. Knolselderij is een onderschatte groentesoort. Hij is verfijnder van smaak dan bleekselderij.

Voor 6 personen

Voorbereidingstijd: 30 minuten
Kooktijd: 6 1/4–7 1/4 uur
Slow cooker maat: standaard

1 eetlepel zonnebloemolie
1 grote ui
25 g boter
600 g knolselderij, geschild en in blokjes gesneden
7,5 dl hete groentebouillon of kippenbouillon
zout en peper

Garneren

3 dl melk
12 dunne sneetjes stokbrood
100 g Roquefort
1,5 dl slagroom
een klein bosje bieslook

1 Verwarm de slow cooker zo nodig voor – zie daarvoor de gebruiksaanwijzing. Verhit de olie in een koekenpan. Doe er de ui in en roerbak 5 minuten tot hij zacht is. Voeg de boter en knolselderij toe en bak nog 5 minuten.

2 Doe het groentemengsel in de pan van de slow cooker. Giet er de hete bouillon bij en breng op smaak met zout en peper. Leg het deksel op de pan en kook 6-7 uur op 'laag'.

3 Schep het knolselderijmengsel in porties in een blender of keukenmachine en draai tot een gladde puree. Zet de cooker op 'hoog' en doe de gepureerde soep terug in de pan van de slow cooker. Roer er de melk door en laat 15 minuten verhitten.

4 Rooster vlak voor het serveren de sneetjes stokbrood aan beide kanten onder een voorverwarmde grill. Schep er wat verkruimelde kaas op en zet weer onder de grill tot de kaas begint te borrelen. Roer de room door de soep. Snipper de helft van de bieslook en schep door de soep. Schep de soep in kommen. Laat de toostjes op de soep drijven en garneer met een paar lange sprieten bieslook.

Tips

• **U kunt voor u de kaas op de toost doet wat reepjes prosciutto op de toost leggen.**

• **U kunt de soep zonder de room en toost in de diepvries bewaren.**

Cajun rode-bonensoep

Voor 6 personen

Voorbereidingstijd: 25 minuten, plus een nacht weektijd

Kooktijd: 8½–10½ uur

Slow cooker maat: standaard

125 g gedroogde rode nierbonen, een nacht in koud
water geweekt

2 eetlepels zonnebloemolie

1 grote ui, gehakt

1 rode paprika, doormidden gesneden, het zaad en
de zaadlijsten verwijderd, in blokjes gesneden

1 wortel, in blokjes gesneden

1 vaste aardappel, in blokjes gesneden

2–3 tenen knoflook, gehakt (desgewenst)

2 theelepels gemengde Cajunspecerijen

400 g gehakte tomaat uit blik

1 eetlepel bruine basterdsuiker

1 liter hete groentebouillon

50 g okra, in plakjes gesneden

50 g sperziebonen, in stukjes gesneden

zout en peper

knapperig brood, voor het serveren

1 Verwarm zo nodig de slow cooker voor – zie
daarvoor de gebruiksaanwijzing van de fabrikant.
Giet de bonen af en spoel ze onder de koude kraan.
Doe ze in een pan. Giet er zoveel water over dat de
bonen onderstaan en breng aan de kook. Laat 10
minuten krachtig koken.

2 Verhit intussen de olie in een grote koekenpan.
Doe er de ui in en fruit die in 5 minuten zacht.
Voeg de rode paprika, wortel, aardappel en desgewenst de knoflook toe en roerbak 2–3 minuten.
Roer er de Cajunspecerijen, de tomaten uit blik,
suiker en flink wat zout en peper door en breng alles
aan de kook.

3 Doe het mengsel in de pan van de slow cooker
en schep er de uitgelekte bonen en de hete
bouillon door. Leg het deksel op de pan en kook
8–10 uur op 'laag'.

4 Voeg de stukjes okra en sperziebonen toe. Leg
het deksel weer op de slow cooker op en laat
30 minuten koken. Schep de soep in de kommen en
serveer met knapperig brood.

Tips

- **Laat geweekte, gedroogde nierbonen altijd
eerst 10 minuten krachtig koken voor u ze in
de slow cooker doet om er zeker van te zijn
dat hun giftige stoffen zijn verwijderd.**

- **Gebruik chilipoeder als gemengde
Cajunspecerijen niet verkrijgbaar zijn, maar
verminder dan de hoeveelheid naar smaak.**

Wortelsoep met gember

Pep deze wortelsoep op met een beetje verse gember. Verse gember heeft een meer intense smaak dan gemberpoeder en kan makkelijk een aantal weken in de groentela in de koelkast worden bewaard. Deze soep is makkelijk in te vriezen.

Voor 6 personen

Voorbereidingstijd: 30 minuten
Kooktijd: $4^{1}/_{4}$–$5^{1}/_{4}$ uur
Slow cooker maat: standaard

1 eetlepel zonnebloemolie
15 g boter
1 grote ui, fijngehakt
500 g wortels, in blokjes gesneden
75 g rode linzen
3 cm verse gember, geschild en fijngehakt
1 eetlepel milde kerriepasta
1,2 liter hete kippenbouillon of groentebouillon
3 dl volle melk
zout en peper
takjes verse koriander, ter garnering

1 Verwarm zo nodig de slow cooker voor – zie daarvoor de gebruiksaanwijzing van de fabrikant. Verhit de olie en boter in een koekenpan. Doe er de ui in en bak al roerend 5 minuten tot hij goudbruin begint te worden.

2 Doe de ui in de pan van de slow cooker en voeg de wortels, linzen en gember toe. Roer de kerriepasta door de hete bouillon, giet over in de pan en breng op smaak met flink wat zout en peper. Schep alles om. Leg het deksel op de slow cooker en kook 4–5 uur op 'laag'.

3 U kunt de soep zo serveren of eerst in porties in een blender of keukenmachine glad pureren. Roer er de melk door. Laat nog 15 minuten doorwarmen en schep hem dan in soepborden. Garneer met verse koriander.

Zalmchowder

Deze gevulde soep wordt gegarneerd met een frisse limoen–chili-peperboter. U kunt in plaats van de zalm ook kabeljauw, schelvis of een mengsel van ongerookte en gerookte vissoorten gebruiken.

Voor 6 personen

Voorbereidingstijd: 30 minuten
Kooktijd: 3 uur en 10 minuten – 3 uur en 40 minuten
Slow cooker maat: standaard

1 eetlepel zonnebloemolie
1 grote ui, grof gehakt
2 vaste aardappels, ongeveer 300 g, in kleine blokjes
1 venkelknol
7,5 dl visbouillon
3 dl melk
300 g zalmfilet, in 2 stukken gesneden
1,5 dl slagroom
een klein bosje peterselie of bieslook, grof gehakt
zout en peper
knapperig brood, voor het serveren

Limoen-chilipeperboter

½ tot 1 verse grote, milde chilipeper, in de lengte
   gehalveerd, het zaad verwijderd, fijngehakt
75 g boter, op kamertemperatuur
de geraspte schil en het sap van 1 limoen
peper

Tip

• **Was uw handen altijd grondig nadat u met chilipeper heeft gewerkt omdat uw ogen vreselijk geïrriteerd zullen raken als u ze zonder te denken aanraakt.**

1 Verwarm zo nodig de slow cooker voor – raadpleeg daarvoor de gebruiksaanwijzing. Verhit de olie in een koekenpan en fruit er de ui 5 minuten in tot hij zacht maar niet bruin is. Schep er de aardappel door en laat 3 minuten bakken.

2 Snijd intussen het groen van de venkelknol en leg dat weg. Snijd de venkelknol in de lengte doormidden. Snijd er de harde kern uit en snijd de venkel dan in blokjes. Doe de venkel, bouillon en wat zout in de koekenpan en breng aan de kook.

3 Doe het mengsel in de pan van de slow cooker. Leg het deksel op de pan en kook 2½ – 3 uur op 'laag' tot de aardappel gaar is. Maak intussen de limoen-chilipeperboter. Klop de gehakte chilipeper met het limoenraspsel en wat peper door de boter. Klop er geleidelijk het limoensap door en laat in de koelkast goed koud worden.

4 Roer de melk door de chowder en voeg dan de zalm toe. Leg het deksel weer op de slow cooker en laat 30 minuten koken tot de zalm makkelijk met een mes in vlokken te verdelen is. Schep de zalm er met een schuimspaan uit. Leg op een bord en breek met een mes en vork in grove stukken. Verwijder eventuele graatjes. Doe de zalm terug in de soep en schep er de room, het venkelgroen en de kruiden door. Proef en breng zo nodig op smaak met zout en peper. Laat nog 10 minuten sudderen.

5 Schep de chowder in soepborden en garneer met plakjes limoen-chilipeperboter.

met limoen–chilipeperboter

Kippensoep met prei

Deze traditionele Schotse soep met kip en prei heeft een bijzonder garnituur van in de oven gebakken brosse deegvormpjes met tijm en zout. U kunt de soep desgewenst ook met warm brood of traditionele broodcroûtons serveren.

Voor 6 personen

Voorbereidingstijd: 35 minuten
Kooktijd: 4$^1/_4$–6$^1/_4$ uur
Slow cooker maat: standaard

2 preien, circa 500 g, bijgesneden en schoongemaakt
25 g boter
1 eetlepel zonnebloemolie
4 uitgebeende kippendijen zonder vel, in blokjes
1 vaste aardappel, circa 250 g, in blokjes
1 liter hete kippenbouillon
65 g ontpitte pruimedanten
zout en peper

Croûtes

1 vel kant-en-klaar bladerdeeg uit een pakje van
   400 g, zo nodig ontdooid
1 ei, losgeklopt
zeezout
een paar takjes verse tijm

1 Verwarm zo nodig de slow cooker voor – zie daarvoor de gebruiksaanwijzing. Snijd de preien in dunne plakjes en houd het wit en het groen apart.

2 Verhit de boter en olie in een koekenpan en roerbak er de blokjes kip in 5 minuten bruin in. Schep er het wit van de prei en de blokjes aardappel door en laat nog 2 minuten bakken.

3 Doe het kip-preimengsel in de pan van de slow cooker. Giet er de bouillon over en schep er de pruimedanten en wat zout en peper door. Leg er het deksel op en kook 4–6 uur op 'laag'.

4 Schep vlak voor het serveren het groen van de prei door de soep en laat hem nog 15 minuten koken. Rol het vel bladerdeeg uit en steek er cirkels van circa 7 cm doorsnee uit. Snijd ze doormidden. Leg de halve cirkels op een bevochtigde bakplaat en bestrijk ze met het losgeklopte ei. Strooi er wat zeezout en van de takjes tijm geriste blaadjes over. Zet 7–8 minuten in een op 200°C voorverwarmde oven tot ze gerezen en goudgeel zijn.

5 Schep de soep in soepkommen. Leg er de deeg-croûtes op en dien op.

Mujaddarah

Voor 6 personen

Voorbereidingstijd: 30 minuten
Kooktijd: 3¹/₂–4 uur
Slow cooker maat: standaard

1 eetlepel olijfolie
1 grote ui, gehakt
1 theelepel komijnzaad, licht geplet
2 theelepels korianderzaad, licht gekneusd
2–3 tenen knoflook, gehakt
¹/₄ theelepel gemalen kaneel
400 g gehakte tomaat uit blik
2 theelepels lichte of donkerbruine basterdsuiker
6 dl hete groentebouillon
175 g groene linzen
100 g snelkokende zilvervliesrijst
zout en peper

Serveren

1 eetlepel olijfolie
1 grote ui, in dunne plakjes
een klein bosje verse koriander of muntblaadjes,
   grof gehakt
150 g yoghurt

1 Verwarm zo nodig de slow cooker voor – zie de gebruiksaanwijzing. Verhit de olie in een grote koekenpan. Fruit er de ui in 5 minuten zacht in.

2 Schep er het gekneusde komijn- en korianderzaad, de knoflook en kaneel door. Schep er de tomaten uit blik, suiker en flink wat zout en peper door. Breng al roerend aan de kook.

3 Doe het tomatenmengsel in de pan van de slow cooker en schep er dan de hete bouillon, linzen en rijst door. Leg er het deksel op en kook 3¹/₂–4 uur op 'laag', waarbij u een of twee keer roert, tot de rijst en linzen gaar zijn.

4 Verhit vlak voor het serveren de eetlepel olie in een koekenpan. Schep er de plakjes ui door en bak ze in 8-10 minuten goudbruin. Schep het linzenmengsel in kommen en garneer met de gebakken ui, verse kruiden en een lepel yoghurt.

Tip

• **Roer het mengsel tijdens het koken een of twee keer door om ervoor te zorgen dat de rijst altijd onder het vocht blijft. Anders zal de rijst uitdrogen en hard worden.**

Terrine van eend

Voor 6 personen

Voorbereidingstijd: 45 minuten, plus een nacht in de koelkast
Kooktijd: 5–6 uur
Slow cooker maat: standaard, groot of extra groot

175 doorregen rookspek, zonder zwoerd
1 eetlepel olijfolie
1 ui, gehakt
2 ribkarbonades (275 g), de botten verwijderd
375 g eendenborst, het vet verwijderd
2 tenen knoflook, gehakt
3 eetlepels cognac
75 g vers broodkruim
50 g zongedroogde tomaten op olie, uitgelekt en
  gehakt
3 ingemaakte walnoten, uitgelekt en grof gehakt
1 ei, losgeklopt
1 eetlepel groene peperkorrels, licht gekneusd
zout

Tip

• **U kunt in plaats van ingemaakte walnoten zwarte olijven of pruimedanten gebruiken.**

met cognac, walnoten en groene peperkorrels

1 Verwarm zo nodig de slow cooker voor – zie de gebruiksaanwijzing. Leg de plakken rookspek op een snijplank en rek ze met behulp van de platte kant van een koksmes uit tot ze anderhalf keer zo lang zijn. Bekleed de binnenkant van een diepe soufflé-schaal van 15 cm doorsnee die ruim in de pan van uw slow cooker past met het spek. Druk de plakken tegen de wand van de schaal tot die helemaal bedekt is en laat de einden over de rand hangen.

2 Verhit de olie in een koekenpan en fruit er de ui 5 minuten in. Maal het varkensvlees en de helft van de eendenborst fijn. Snijd de rest van de eenden-borst in lange, dunne plakken. Schep de knoflook, het gemalen varkensvlees en eend door de ui in de koekenpan en bak 3 minuten. Giet er de cognac over. Steek aan met een lange lucifer en stap even terug.

3 Schep er wanneer de vlammen gedoofd zijn het broodkruim, zongedroogde tomaten, walnoten, het ei, de peperkorrels en wat zout door. Meng goed en schep de helft van het mengsel in de met rook-spek beklede schaal. Druk stevig aan. Schik er de plakken eend op en schep er dan de rest van het vlees-walnotenmengsel op. Vouw de overhangende stukken rookspek over het vleesmengsel en leg er zo nodig extra plakjes over zodat het vleesmengsel vol-ledig bedekt is. Dek af met aluminiumfolie.

4 Zet een schaaltje ondersteboven op de bodem van de pan van de slow cooker. Leg er gekruiste folierepen (zie pagina 9) over en zet er de soufflé-schaal op. Giet zoveel kokend water in de pan dat het tot halverwege de zijkant van de schaal reikt. Leg het deksel op de slow cooker en kook 5-6 uur op 'hoog', of tot er helder vleessap uitloopt nadat u met een mes in het midden van de terrine heeft geprikt.

5 Til de terrine met behulp van de folierepen en ovenwanten voorzichtig uit de slow cooker. Zet de schaal op een bord. Verwijder de aluminiumfolie en leg er een vel bakpapier op. Zet gewichten, spe-ciale of zware, ongeopende blikken, op een klein bord en zet dat op de terrine. Laat het geheel afkoelen en zet een nacht in de koelkast zodat de terrine stevig kan worden.

6 Verwijder de gewichten en het bakpapier van de terrine. Ga met een mes langs de wand van de vorm om de terrine los te maken. Stort de terrine dan op een snijplank of dienschaal. Schud even om hem los te maken en til de schaal van de terrine. Snijd de terrine in dikke plakken en dien op.

Dolmades

Deze met rijst gevulde druivenbladen roepen herinneringen op aan vakanties in Griekenland. Serveer ze als onderdeel van een mezze-achtig voorgerecht met taramasalata, hummus en olijven.

Voor 6 personen

Voorbereidingstijd: 40 minuten, plus weektijd
Kooktijd: 2–2½ uur
Slow cooker maat: standaard – liefst ovaalvormig

100 g vacuümverpakte druivenbladeren
partjes citroen, ter garnering
dikke Griekse yoghurt, voor het serveren

Vulling

100 g witte snelkookrijst
1 kleine ui, gesnipperd
2 tenen knoflook, uit de knijper
40 g krenten
25 g pijnboompitten
3 eetlepels gehakte verse munt of een snufje
    gedroogde munt
1 theelepel venkelzaad of dillezaad
2 eetlepels olijfolie
de fijngeraspte schil en het sap van 1 citroen
7,5 dl hete groentebouillon
zout en peper

1 Neem de druivenbladeren uit de verpakking en doe ze in een kom koud water. Maak de bladen voorzichtig van elkaar los en doe ze dan in een grote bak (gootsteen) koud water. Laat ze 30 minuten weken. Verwarm zo nodig intussen de slow cooker voor – zie daarvoor de gebruiksaanwijzing.

2 Laat de druivenbladeren uitlekken en dep ze dan droog met keukenpapier. Spreid de gave, hele bladen zodanig op een werkvlak dat de steeltjes naar u toe liggen en de onderkanten boven liggen.

3 Meng behalve het citroensap en de bouillon alle ingrediënten voor de vulling. Schep wat vulling in het midden van elk blad. Vouw de zijkanten over de vulling en rol de bladen dan losjes op – als u te strak oprolt zal er tijdens het koken geen ruimte voor de rijst zijn om uit te zetten.

4 Spreid eventuele gescheurde of beschadigde bladen op de bodem van de pan van de slow cooker uit en schik er dan de dolmades in 2 of 3 lagen op. Meng het citroensap met de hete bouillon. Giet over de pakjes en zorg dat ze volledig onder het vocht komen te liggen. Leg er het deksel op en kook 2–2½ uur op 'laag' tot de rijst gaar is.

5 Neem de dolmades uit de slow cooker. Laat ze goed uitlekken en schik ze op een dienschaal. Serveer ze warm of koud. Garneer met partjes citroen en geef er apart Griekse yoghurt bij.

Tip

• **Druivenbladeren zijn in vacuümverpakking of in blik verkrijgbaar bij goed gesorteerde delicatessenwinkels of Turkse supermarkten. U kunt er als ze niet verkrijgbaar zijn geblancheerde koolblaadjes voor in de plaats gebruiken.**

Zalmtimbaaltjes

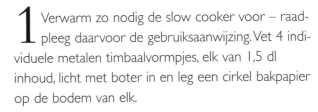

Voor 4 personen

Voorbereidingstijd: 30 minuten, plus koeltijd
Kooktijd: 3–3½ uur
Slow cooker maat: standaard, groot of extra groot

2 dl volle crème fraîche
4 eierdooiers
de geraspte schil en het sap van ½ citroen
1 klein basilicumplantje in een pot
200 g plakjes gerookte zalm
zout en peper
partjes citroen, ter garnering (desgewenst)

1 Verwarm zo nodig de slow cooker voor – raadpleeg daarvoor de gebruiksaanwijzing. Vet 4 individuele metalen timbaalvormpjes, elk van 1,5 dl inhoud, licht met boter in en leg een cirkel bakpapier op de bodem van elk.

2 Doe de crème fraîche in een kom en klop er geleidelijk de eierdooiers en vervolgens het citroensap en citroenraspsel door. Breng op smaak met zout en peper. Hak de helft van de basilicum en 75 g van de gerookte zalm en schep beide door het crème-fraîchemengsel.

3 Verdeel het mengsel over de voorbereide vormpjes en zet de vormpjes in de pan van de slow cooker – u hoeft de vormpjes niet met folie af te dekken. Giet zoveel heet water om de vormpjes heen dat ze er voor de helft in staan. Leg het deksel op de pan en laat 3–3½ uur op 'laag' koken, of tot de timbaaltjes gestold zijn.

4 Neem de timbaaltjes met een theedoek voorzichtig uit de slow cooker en laat ze op kamertemperatuur komen. Zet ze daarna minstens 4 uur of tot een nacht in de koelkast.

5 Schik voor het serveren de overgebleven gerookte zalm op 4 borden. Dompel een mes in heet water en ga er langs de wand van de vormpjes mee om de mousse los te maken. Doe de timbaaltjes op dienborden. Strijk eventuele ruwe plekjes glad met de zijkant van een mes en verwijder de cirkels bakpapier. Garneer met een toefje gerookte zalm en de rest van de basilicumblaadjes. Geef er de partjes citroen bij als u die gebruikt.

Bijgerechten

Kruidige rodekool

Zacht gesmoorde rodekool met chilipeper, balsamicoazijn, honing en rozijnen is heerlijk bij gegrilde worstjes, makreel of een gebraden rollade. U kunt de honing en het venkelzaad desgewenst vervangen door lichtbruine basterdsuiker en karwijzaad.

Voor 6 personen

Voorbereidingstijd: 15 minuten
Kooktijd: 2½–3½ uur
Slow cooker maat: standaard

1 eetlepel olijfolie
1 grote ui, gehakt
4,5 dl hete groentebouillon of kippenbouillon
3 eetlepels balsamicoazijn
2 eetlepels dikke honing
1 eetlepel tomatenpuree
1 theelepel venkelzaad, licht geplet
½ theelepel gemalen gedroogde chilipeper
   (desgewenst)
600 g rodekool, in de lengte in vieren gesneden, de
   harde kern verwijderd, in repen gesneden
2 handappels, het klokhuis verwijderd, in blokjes
   gesneden
50 g rozijnen
zout en peper

1 Verwarm zo nodig de slow cooker voor – zie daarvoor de gebruiksaanwijzing. Verhit de olie in een grote koekenpan. Doe er de ui in en bak hem 5 minuten tot hij goudbruin is. Roer er de bouillon, azijn, honing, tomatenpuree, het venkelzaad en desgewenst de gedroogde chilipeper door en giet alles over in de pan van de slow cooker.

2 Schep er de reepjes rodekool, blokjes appel en rozijnen door. Breng op smaak met zout en peper. Meng goed en leg het deksel op de cooker. Kook 2½–3½ uur op 'hoog' tot de kool gaar is.

Gesmoorde waspeentjes met kruidenboter

Langzaam in bouillon gesmoorde waspeentjes geserveerd met een prachtige groene kruidenboter van dragon en bieslook leveren een makkelijk bijgerecht bij gebraden of gegrild vlees op.

Voor 4–6 personen

Voorbereidingstijd: 15 minuten
Kooktijd: 2–2½ uur
Slow cooker maat: standaard

500 g kleine waspeentjes, schoongeboend
2,5 dl hete kippenbouillon of groentebouillon
1 theelepel dikke honing
1 eetlepel gehakte verse dragon (desgewenst)
1 eetlepel gesnipperde verse bieslook (desgewenst)
zout en peper

Kruidenboter

40 g boter
1 eetlepel gehakte verse dragon
2 eetlepels gesnipperde bieslook
zout en peper

1 Verwarm zo nodig de slow cooker voor – zie de gebruiksaanwijzing. Doe de waspeentjes in de pan van de slow cooker en voeg de bouillon, honing en zout en peper toe. Leg er het deksel op en kook 2–2½ uur op 'hoog' tot ze gaar zijn.

2 Klop de boter met de kruiden en wat zout en peper. Leg tot het serveren in de koelkast. Giet de waspeentjes af en doe ze in een dienschaal. Leg er hier en daar een klontje kruidenboter op en serveer.

Tips

• Snijd het groen van de waspeentjes tot ongeveer 1,5 cm af voor u ze afweegt.

• Klop in plaats van de bieslook desgewenst wat citroenraspsel en sap door de boter.

Groentegalette met kaas

Verander alledaagse groenten door ze met knoflook op smaak te brengen en ze met een dikke kaassaus te mengen als bijgerecht bij gegrilde karbonades of vis.

Voor 4–5 personen

Voorbereidingstijd: 25 minuten
Kooktijd: 3–4 uur
Slow cooker maat: standaard

50 g boter, plus extra voor het invetten

50 g bloem

6 dl volle melk

2–3 tenen knoflook, fijngehakt

100 g extra belegen kaas, geraspt

600 g kleine vaste aardappels, geschild en in dunne plakjes gesneden

1 middelgrote wortel, geschild en in dunne plakjes gesneden

1 pastinaak, geschild en in dunne plakjes gesneden

½ grote ui, fijngehakt

zout en peper

gehakte verse bladpeterselie, ter garnering (desgewenst)

1 Verwarm zo nodig de slow cooker voor – zie daarvoor de gebruiksaanwijzing. Laat de boter smelten in een pan. Roer er de bloem door en laat 1 minuut bakken. Roer er geleidelijk de melk door. Breng dan al roerend aan de kook en laat tot een dikke, gladde saus inkoken. Schep er de knoflook, driekwart van de kaas en wat zout en peper door.

2 Vet de binnenkant van de pan van de slow cooker in met een beetje boter en schik er dan laagjes met de helft van de wortelgroenten en ui in. Bedek met de helft van de kaassaus en ga weer door met het in laagjes leggen van de groenten. Giet er de rest van de kaassaus over en strooi er de overgebleven geraspte kaas over.

3 Leg het deksel op de slow cooker en kook 3–4 uur op 'laag' tot de groenten gaar zijn. Strooi er desgewenst wat gehakte peterselie over en dien op.

Tip

• **Hoewel de meeste in een slow cooker bereide schotels er best wat langer dan de opgegeven tijd in mogen blijven, zijn gerechten met melk erin de uitzondering. Deze moeten binnen de in het recept opgegeven tijd worden opgediend.**

Aardappels

Maak van gewone gekookte aardappels iets heel bijzonders door ze langzaam met saffraan, knoflook en Noord-Afrikaanse specerijen te koken. Serveer deze aardappels bij gebarbecued of gegrild vlees of moten vis.

Voor 6 personen
Voorbereidingstijd: 15 minuten
Kooktijd: 4–5 uur
Slow cooker maat: standaard

2 eetlepels olijfolie
1 grote ui, in dunne plakjes
1 theelepel komijnzaad, licht geplet
1 theelepel korianderzaad, licht geplet
een flinke snuf saffraandraadjes
$\frac{1}{2}$ theelepel gemalen geelwortel
2 tenen knoflook, gehakt
4,5 dl kippenbouillon of groentebouillon
50 g sultanarozijnen
$\frac{1}{2}$ theelepel zout
1 kg nieuwe aardappels, schoongeboend en in stukjes van niet groter dan 4 cm gesneden
peper
gehakte verse korianderblaadjes, ter garnering (desgewenst)

1 Verwarm zo nodig de slow cooker voor – zie daarvoor de gebruiksaanwijzing. Verhit de olie in een koekenpan. Doe er de ui in en bak hem 5 minuten tot hij goudbruin is.

2 Schep er het gekneusde komijnzaad en korianderzaad, de saffraan, geelwortel en knoflook door en bak 1 minuut. Giet er de bouillon over en schep er de sultanarozijnen en wat zout en peper door. Breng al roerend aan de kook.

3 Giet het uimengsel over in de pan van de slow cooker. Voeg de stukjes aardappel toe en zorg ervoor dat ze onder het vocht liggen. Leg het deksel op de slow cooker en kook 4–5 uur op 'laag' tot de aardappel gaar is. Doe over op een dienschaal en strooi er desgewenst de verse koriander over.

Tip
• Probeer de stukjes aardappel allemaal even groot te snijden zodat ze gelijkmatig gaar koken – hoe groter ze zijn, hoe langer de kooktijd. U kunt hier ook oudere vaste aardappels voor gebruiken.

met saffraan

Tamarindelinzen
met groenten

Dit in Zuid-India geliefde gerecht van rode linzen wordt op smaak gebracht met verse gember, geelwortel en tamarindepasta en gegarneerd met verse koriander. Serveer deze linzen als bijgerecht bij rijst en een currygerecht met vlees.

Voor 6 personen

Voorbereidingstijd: 20 minuten
Kooktijd: 7–8 uur
Slow cooker maat: standaard

1 eetlepel zonnebloemolie
1 grote ui, gehakt
3 cm verse gember, geschild en fijngehakt
2–3 tenen knoflook, gehakt
1 theelepel gemalen geelwortel
$\frac{1}{2}$ theelepel gemalen gedroogde chilipeper
2 theelepels lichtbruine basterdsuiker
2 theelepels tamarindepuree
9 dl hete groentebouillon
175 g rode linzen
1 vaste aardappel, circa 250 g, in blokjes gesneden
2 wortels, in blokjes gesneden
een klein bosje verse koriander
zout en peper

1 Verwarm zo nodig de slow cooker voor – zie daarvoor de gebruiksaanwijzing. Verhit de olie in een koekenpan. Doe er de ui in en bak hem 5 minuten tot hij goudbruin is.

2 Schep er de gember, knoflook, geelwortel en gemalen chilipeper door. Roer er vervolgens de suiker, tamarinde en bouillon door. Breng op smaak met zout en peper en breng al roerend aan de kook.

3 Giet het mengsel in de pan van de slow cooker. Schep er de rode linzen en blokjes groenten door. Leg er het deksel op en kook 7–8 uur tot de linzen gaar zijn. Hak circa 4 eetlepels van de verse koriander fijn en schep door het linzenmengsel. Garneer met de rest van de blaadjes.

Tips

• Tamarindepuree is afkomstig van een peulvrucht met hele kleine boontjes en lichtzuur vruchtvlees. Hij is in blokvorm en in potjes bij oosterse winkels te koop.

• Garneer de linzen met in de lengte gehalveerde gedroogde chilipeper en een paar kerrieblaadjes die u licht in wat olie gebakken heeft.

Kokos-limoenrijst

Verschillende gerechten tegelijk klaarmaken is makkelijk als u de rijst zonder omzien in de slow cooker kunt koken. Door het limoenraspsel en limoensap pas aan het eind van het koken toe te voegen, krijgt het geheel een intense smaak. Thaise rijst is wat plakkeriger dan basmatirijst.

Voor 4 personen

Voorbereidingstijd: 5 minuten
Kooktijd: 1 1/4–1 1/2 uur
Slow cooker maat: standaard, groot of extra groot

250 g Thaise parfumrijst
25 g wilde rijst
40 g kokoscrème (van een blok)
6 dl kokend water
de geraspte schil en het sap van 2 limoenen
zout

1 Verwarm zo nodig de slow cooker voor – zie daarvoor de gebruiksaanwijzing. Doe de Thaise rijst en wilde rijst in een zeef en spoel onder de koude kraan. Neem een grote, vuurvaste kom die in de pan van uw slow cooker past. Doe er de kokoscrème in en roer er wat van het kokende water door tot u een pasta heeft. Schep er de rest van het water, de gespoelde rijst en wat zout door.

2 Dek de kom af met aluminiumfolie en zet hem dan op een omgekeerde schotel in de pan van de slow cooker. Giet zoveel kokend water om de kom heen dat die er voor de helft in staat. Leg het deksel op de cooker. Kook 1 1/4–1 1/2 uur op 'hoog', of tot de rijst gaar is.

3 Maak de rijst rul met een vork en giet eventueel overtollig vocht af. Schep er het limoenraspsel en limoensap en zo nodig wat extra kokend water door en dien op.

Tip

- **Desgewenst kunt u de kom waarin u de rijst heeft gekookt als vorm gebruiken. Nadat u het limoenraspsel en sap heeft toegevoegd, drukt u de rijst in de kom. Laat de rijst 5 minuten staan. Ga dan met een mes langs de binnenwand van de kom om de rijst los te maken en stort de rijst op een dienschaal.**

Vlees, gevogelte en wild

Rundvleescurry
met aubergine

Deze snel en makkelijk te bereiden kruidige curryschotel is heerlijk met roergebakken paksoi en gember en opgediend met gekookte rijst.

Voor 4 personen
Voorbereidingstijd: 25 minuten
Kooktijd: 8–9 uur
Slow cooker maat: standaard

1 grote ui
3–4 tenen knoflook
2 eetlepels zonnebloemolie
500 g runderstoofvlees, in blokjes
1 grote aubergine, in blokken gesneden
2 eetlepels Thaise rode kerriepasta
1 eetlepel vissaus
4 dl kokosmelk uit blik
gekookte rijst, voor het serveren

1 Verwarm zo nodig de slow cooker voor – zie daarvoor de gebruiksaanwijzing. Draai de ui en knoflook in een keukenmachine bijna tot een pasta of hak beide heel fijn. Verhit de olie in een koekenpan. Doe er de ui en knoflook in en bak 2–3 minuten tot ze zacht zijn.

2 Voeg het vlees en de aubergine in porties toe en bak tot beide bruin zijn. Roer er de kerriepasta, vissaus en kokosmelk door. Breng aan de kook en doe het mengsel in de pan van de slow cooker.

3 Leg er het deksel op en kook 8–9 uur op 'laag' tot het vlees helemaal gaar is. Dien op met gestoomde rijst.

Tip

• **U kunt in plaats van de kokosmelk 50 g van een blok kokoscrème gebruiken. Kook in dat geval het rundvlees in 4 dl kippenbouillon, verkruimel er aan het eind van de kooktijd de kokoscrème over en meng goed.**

Runderstoofpot

Deze hartige, traditionele Britse stoofpot heeft een deklaagje van dunne plakken aardappel en ook knolselderij, die een subtiele lichtzoete smaak aan deze schotel geven. Kleine waspeentjes zijn hier erg lekker bij.

Voor 6 personen

Voorbereidingstijd: 30 minuten
Kooktijd: 5–6 uur
Slow cooker maat: groot of extra groot

2 eetlepels zonnebloemolie

1 kg runderstoofvlees, in blokjes gesneden

1 grote ui, gehakt

3 eetlepels bloem

5 dl oudbruin bier of bokbier

4 theelepels grove mosterd

3 theelepels lichte of donkerbruine basterdsuiker

2 eetlepels tomatenpuree

4,5 dl hete runderbouillon

400 g knolselderij, geschild, in dunne plakken

600 g vaste aardappels van gelijke grootte, geschild en in dunne plakjes gesneden

25 g boter, gesmolten

zout en peper

gesnipperde verse bieslook, ter garnering (desgewenst)

1 Verwarm zo nodig de slow cooker voor – zie daarvoor de gebruiksaanwijzing. Verhit 1 eetlepel olie in een grote koekenpan. Doe er de helft van het rundvlees in en bak het onder geregeld omscheppen op een hoog vuur bruin. Schep het vlees met een schuimspaan uit de pan en doe op een bord.

2 Verhit de rest van de olie in de koekenpan en bak er onder geregeld omscheppen de rest van het vlees en de ui op een hoog vuur bruin in. Roer er de bloem door. Schep er dan het bier, de mosterd, suiker, tomatenpuree en flink wat zout en peper door. Breng al roerend aan de kook en doe het mengsel met het gebakken vlees in de pan van de slow cooker. Roer er de hete bouillon door.

3 Schik de plakken knolselderij iets overlappend over het vlees en schik er dan de plakken aardappel op. Bestrijk met de gesmolten boter en bestrooi met zout en peper. Leg er het deksel op en kook 5–6 uur op 'hoog'. Garneer de stoofpot desgewenst met fijngesnipperde bieslook.

Tips

• **Halveer de hoeveelheid ingrediënten voor een kleiner formaat slow cooker en houd dezelfde kooktijd aan.**

• **U kunt als uw slow cooker onder uw grill past de aardappels vlak voor het serveren onder de grill bruin laten worden.**

en champignons

Voor 4 personen

Voorbereidingstijd: 40 minuten
Kooktijd: 5–6 uur
Slow cooker maat: standaard, groot of extra groot

25 g boter, plus extra voor het invetten
1 eetlepel zonnebloemolie
2 flinke uien, grof gehakt
2 theelepels fijne kristalsuiker
100 g champignons, in plakjes
1 eetlepel bloem of zelfrijzend bakmeel
1,5 dl hete runderbouillon
1 theelepel Dijonmosterd
1 eetlepel Worcestershiresaus
700 g entrecote, vet bijgesneden, in dunne plakjes
    gesneden
zout en peper
gekookte kool met boter en koolraappuree, voor het
    serveren

Deeg

300 g zelfrijzend bakmeel
1/2 theelepel zout
150 g uitgebakken niervet, koud, in reepjes gesneden
2 dl water

1 Verwarm zo nodig de slow cooker voor – zie de gebruiksaanwijzing. Verhit de boter en olie in een koekenpan en fruit er de ui 5 minuten in tot hij zacht is. Strooi er de suiker over en bak nog 5 minuten tot de uien mooi bruin zijn. Voeg de champignons toe en bak 2–3 minuten. Schep er de bloem door.

2 Doe de bouillon in een schenkkan en klop er de mosterd, Worcestershiresaus en een beetje zout en peper door.

3 Doe voor het deeg het meel, zout en niervet in een kom en meng goed. Roer er geleidelijk het water door tot u een zacht, maar niet plakkerig deeg heeft. Kneed het deeg licht en rol het dan op een met bloem bestoven werkvlak tot een cirkel van 33 cm doorsnee uit. Snijd een kwart punt uit de cirkel en leg weg. Dit wordt later het deksel.

4 Vet met boter een puddingvorm van 1,5 liter inhoud in die in de pan van de slow cooker past met minstens 1,5 cm ruimte tussen vorm en pan. Leg het overgebleven deeg in de vorm. Breng de aangesneden randen iets overlappend bij elkaar, zodat de vorm volledig met het deeg bekleed is. Druk de randen goed op elkaar.

5 Vul de met deeg beklede vorm om en om met gebakken ui en champignons en plakken entrecote. Giet er het hete bouillonmengsel over. Vorm het weggelegde stuk deeg tot een cirkel zo groot als de bovenkant van de vorm. Vouw de bovenrand van het deeg dat al in de vorm is over de vleesvulling, bestrijk licht met water en leg er het deegdeksel op.

6 Bedek de vorm met een cirkel met boter ingesmeerde, geplooide aluminiumfolie met genoeg ruimte voor het rijzen van het deeg. Bind de folie met keukengaren net onder de rand van de vorm vast en knoop ook een handvat met het garen. Zet de vorm dan op een omgekeerde schotel in de pan van de cooker. Giet zoveel kokend water in de pan dat het tot halverwege de zijkant van de vorm reikt.

7 Leg het deksel op de slow cooker en kook 5–6 uur op 'hoog'. Neem de vorm uit de slow cooker en verwijder het keukengaren en de folie. Het deeg moet gerezen zijn en droog aanvoelen.

Boeuf bourguignon

Deze landelijke stoofpot met luchtige knoedels die op smaak zijn gebracht met mierikswortel en bieslook is heerlijk na een lange, hectische dag. U hoeft er ook geen bijgerechten bij te maken. Schep gewoon in ondiepe soepborden en geniet.

Voor 4 personen

Voorbereidingstijd: 35 minuten
Kooktijd: 8–10½ uur
Slow cooker maat: standaard

2 eetlepels olijfolie
750 g runderstoofvlees, overtollig vet afgesneden, in blokjes gesneden
1 grote ui, gehakt
2–3 tenen knoflook, gehakt
2 eetlepels bloem
3 dl droge rode Bourgogne
3 dl runderbouillon
1 eetlepel tomatenpuree
2 laurierbladen
150 g waspeentjes, grotere exemplaren gehalveerd
250 g prei, bijgesneden, schoongemaakt, in dunne plakjes gesneden
zout en peper

Mierikswortelknoedels

150 g zelfrijzend bakmeel
75 g uitgebakken niervet, koud, in reepjes gesneden
2 theelepels romige mierikswortelsaus
3 eetlepels gesnipperde bieslook
5–7 eetlepels water
zout en peper

1 Verwarm zo nodig de slow cooker voor – zie daarvoor de gebruiksaanwijzing. Verhit de olie in een koekenpan. Doe er telkens een aantal blokjes vlees tegelijk in en bak tot alle blokjes in de pan gebakken zijn. Bak onder regelmatig omscheppen op een hoog vuur tot het vlees bruin begint te worden. Doe er de ui bij en roerbak 5 minuten.

2 Schep er de knoflook en bloem door. Roer er dan geleidelijk de wijn en bouillon bij. Voeg de tomatenpuree en laurierbladen toe en breng op smaak met zout en peper. Breng aan de kook en doe het mengsel in de pan van de slow cooker. Leg er het deksel op en kook 7–9 uur op 'laag'.

3 Roer het mengsel om, voeg de waspeentjes toe en kook 30–45 minuten op 'hoog'. Maak intussen de knoedels: doe het meel, niervet, de mierikswortel, bieslook en wat zout en peper in een kom. Roer er net genoeg water door om een zacht, maar niet plakkerig deeg te maken. Rol met bloem bestoven handen het deeg tot 8 balletjes.

4 Schep de prei door de stoofpot. Leg er de knoedels bovenop en leg er het deksel weer op. Kook nog 30–45 minuten tot de knoedels licht en luchtig zijn. Schep in ondiepe soepborden en dien op.

met mierikswortelknoedels

Gesmoorde ossenstaart met port

Voor 4 personen

Voorbereidingstijd: 25 minuten
Kooktijd: 9–10 uur
Slow cooker maat: standaard

1 eetlepel zonnebloemolie

1 mooie ossenstaart van circa 1 kg, in dikke stukken

1 grote ui, gehakt

2 eetlepels bloem

2,5 dl ruby port

4,5 dl runderbouillon

1 kaneelstokje, in tweeën gebroken

1 theelepel gemalen foelie

2 theelepels jeneverbessen, licht gekneusd

2 eetlepels tomatenpuree

1 rode paprika, gehalveerd, zaad en zaadlijsten
    verwijderd

olie, voor het bestrijken

zout en peper

1 Verwarm zo nodig de slow cooker voor – zie daarvoor de gebruiksaanwijzing. Verhit de olie in een koekenpan. Doe er de stukken ossenstaart in, zo nodig in porties, en bak ze bruin. Doe op een bord.

2 Doe de ui in de pan en fruit hem goudgeel. Schep er de bloem door. Voeg dan de port, bouillon, kaneel, jeneverbessen en tomatenpuree toe en breng op smaak met zout en peper.

3 Doe de ossenstaart in de pan van de slow cooker en giet er het hete bouillonmengsel over. Zorg dat de ossenstaart helemaal onderstaat. Leg er het deksel op en kook 9–10 uur op 'laag'. Leg vlak voor het serveren de gehalveerde paprika met de velkant boven op een met aluminiumfolie beklede grillpan. Bestrijk met olie en zet onder de grill tot het vel geblakerd is. Laat 10 minuten afkoelen, trek er het vel af en snijd de paprika in reepjes.

4 Schep de ossenstaart en saus in ondiepe soepborden en verwijder het kaneelstokje. Garneer met de reepjes paprika en geef er cannellinibonenpuree bij. Zet een kom voor de botjes op tafel of verwijder de botjes voor het serveren – het vlees is na het koken zo gaar, dat het bijna van de botten valt.

Gehakt met macaroni

Dit is een lekker doordeweeks gerecht van rundergehakt of lamsgehakt, een blik tomaten en gedroogde macaroni. U kunt desgewenst 1,5 dl bouillon door rode wijn vervangen.

Voor 4 personen

Voorbereidingstijd: 20 minuten
Kooktijd: 8–9 uur
Slow cooker maat: standaard

15 g gemengde, gedroogde paddestoelen
1,5 dl kokend water
1 eetlepel olijfolie
500 g rundergehakt of lamsgehakt
1 grote ui, gehakt
2 tenen knoflook, gehakt
400 g gehakte tomaat uit blik
4,5 dl kippenbouillon
2 eetlepels tomatenpuree
$1/4$ theelepel versgeraspte nootmuskaat
een klein bosje verse rozemarijn
250 g macaroni
3 eetlepels pijnboompitten, geroosterd
zout en peper

1 Verwarm zo nodig de slow cooker voor – zie daarvoor de gebruiksaanwijzing. Doe de paddestoelen in een kom, zet ze onder kokend water en laat ze 20 minuten weken.

2 Verhit intussen de olie in een koekenpan. Doe er het gehakt en de ui in en fruit onder geregeld omscheppen 5 minuten tot alles bruin is. Voeg de knoflook toe en schep er dan de tomaten, bouillon, tomatenpuree en nootmuskaat door. Ris de naaldjes van 3 van de takjes rozemarijn en strooi over het gehakt. Schep er de geweekte paddestoelen, het weeknat en wat zout en peper door.

3 Doe alles over in de pan van de slow cooker. Leg er het deksel op en kook 8–9 uur op 'laag'. Kook vlak voor het serveren de macaroni bijtgaar in een pan kokend, gezouten water. Giet af en schep om met het gehaktmengsel. Schep op borden en garneer met geroosterde pijnboompitten en de afgeriste naaldjes van de overgebleven takjes rozemarijn.

Tip
* **Verhoog de hoeveelheid ingrediënten tot anderhalf voor een grotere maat slow cooker en houd dezelfde kooktijd aan.**

Kruidige lamsvleestajine

Schrik niet van de lange lijst ingrediënten voor dit recept. Dit geurige gerecht in Marokkaanse stijl is snel en makkelijk te maken en laat u met maar 500 gram gehakt heel veel doen.

Voor 6-8 personen

Voorbereidingstijd: 35 minuten
Kooktijd: 8½–10½ uur
Slow cooker maat: groot of extra groot

1 eetlepel olijfolie

500 g lamsgehakt

1 grote ui, gehakt

2–3 tenen knoflook, gehakt

3 cm verse gember, geschild en fijngehakt

1 theelepel gemalen geelwortel

1 theelepel gemalen kaneel

½ theelepel pimentpoeder

2 eetlepels bloem

400 g gehakte tomaat uit blik

7,5 dl lamsbouillon of kippenbouillon

1 eetlepel tomatenpuree

300 g nieuwe aardappels, schoongeboend en afhankelijk van hun grootte gehalveerd of in vieren gesneden

300 g butternutpompoen, pitjes verwijderd, geschild en in blokjes gesneden

2 wortels, in blokjes

50 g rozijnen

300 g diepgevroren tuinbonen

150 g doperwtjes

een klein bosje verse munt

zout en peper

couscous, voor het serveren

1 Verwarm zo nodig de slow cooker voor – zie de gebruiksaanwijzing. Verhit de olie in een grote koekenpan. Voeg het gehakt en de ui toe en roerbak 5 minuten, of tot het gehakt bruin is. Schep er de knoflook, gember, specerijen en bloem door. Voeg de tomaten uit blik, bouillon en tomatenpuree toe.

2 Schep er de aardappels, pompoen, wortel en rozijnen door en breng op smaak met zout en peper. Breng aan de kook en doe het mengsel in de pan van de slow cooker. Leg er het deksel op en kook 8–10 uur op 'laag'.

3 Schep de tajine om en strooi er de bevroren tuinbonen over. Leg er het deksel weer op en kook 20–30 minuten tot de groenten heet zijn. Schep op borden, strooi er gescheurde verse muntblaadjes over en geef er couscous bij.

Griekse lamsschenkels

Het langzame garen verhoogt de natuurlijke zoetheid van lamsvlees. In dit gerecht wordt het nog lekkerder door de fijne smaken van citroen, koriander en laurier. Plakken lamsschouder of lamsboutplakken zijn ook geschikt voor dit recept.

Voor 4 personen

Voorbereidingstijd: 20 minuten
Kooktijd: 5–7 uur
Slow cooker maat: standaard

1 eetlepel olijfolie
4 lamsschenkels, circa 1,5 kg
1 grote ui, in dunne plakjes
4 theelepels korianderzaad, licht gekneusd
2 eetlepels bloem
6 dl kippenbouillon of lamsbouillon
1,5 dl droge sherry, droge cider of witte wijn
4 laurierbladen
2 theelepels honing
zout en peper
aardappelpuree of rijst en een groene salade

Garneren
verse oreganoblaadjes
de geraspte schil van 1 citroen

Tips

- **Als uw slow cooker een capaciteit van minder dan 2,5 liter heeft, kookt u maar 3 lamsschenkels en gebruikt u dezelfde hoeveelheid van de overige ingrediënten.**

- **U kunt dit recept maken in een extra grote slow cooker, met een maximum capaciteit van 4,5 liter. gebruik dan anderhalf maal zoveel van alle ingrediënten.**

1 Verwarm zo nodig de slow cooker voor – zie daarvoor de gebruiksaanwijzing. Verhit de olie in een koekenpan en schroei er het vlees rondom in dicht. Schik de stukken schenkel zo in de pan van de slow cooker dat ze bijna rechtop staan en de dikste delen op de bodem van de pan rusten.

2 Doe de ui in de koekenpan en fruit hem onder regelmatig roeren in 5 minuten goudgeel. Voeg het korianderzaad toe en bak 1 minuut. Schep er de bloem door. Voeg dan de bouillon, sherry, cider of wijn, laurierbladen, honing en zout en peper naar smaak toe. Breng aan de kook en giet over het lamsvlees. Leg er het deksel op en kook 5–7 uur op 'hoog' tot het vlees bijna van het bot valt. (Lamsschenkel wordt op 'hoog' gekookt omdat het vlees veel compacter is dan blokjes vlees.) Draai het vlees tijdens het koken zo mogelijk een keer om.

3 Doe de lamsschenkels in een dienschaal, dek af en houd warm. Neem de pan van de slow cooker met pannenlappen voorzichtig uit de houder. Giet de inhoud over in een pan en laat op een hoog vuur tot de helft inkoken. (U kunt het kooknat ook binden met een papje van maïzena en water.) Schep de saus en uien over het lamsvlees. Verwijder de laurierbladen en garneer met oreganoblaadjes en citroenraspsel. Serveer met romige aardappelpuree of met rijst en een groene salade met zwarte olijven.

Deze klassieke Franse stoofschotel, dit keer met lamsvlees bereid, wordt met rode wijn, sjalotjes en rookspek gestoofd. Hij is heerlijk met knolselderijpuree of aardappelpuree en sperziebonen. De pruimedanten geven een heel bijzondere smaak aan de saus.

Voor 4 personen

Voorbereidingstijd: 30 minuten
Kooktijd: 7^1/$_2$–8^1/$_2$ uur
Slow cooker maat: standaard

2 eetlepels olijfolie
700 g mager lamsvlees, in blokjes
1 grote ui, gehakt
50 g doorregen rookspek, zo nodig het zwoerd
  verwijderd, in blokjes gesneden
2 tenen knoflook, gehakt
1 eetlepel bloem
2 dl rode wijn
3 dl lamsbouillon of kippenbouillon
1 eetlepel tomatenpuree
75 g ontpitte pruimedanten (desgewenst)
een vers of gedroogd bouquet garni
zout en peper

Garneren

15 g boter
1 eetlepel olijfolie
175 g sjalotjes, grote exemplaren gehalveerd
50 g doorregen rookspek, zo nodig het zwoerd
  verwijderd, in blokjes gesneden

1 Verwarm zo nodig de slow cooker voor – zie daarvoor de gebruiksaanwijzing. Verhit de olie in een koekenpan. Doe er telkens een aantal blokjes vlees tegelijk in en bak tot alle blokjes in de pan gebakken zijn. Bak op hoog vuur tot het vlees bruin is. Laat uitlekken en schep over op een bord.

2 Doe de ui en het spek in de koekenpan en bak 5 minuten tot de ui goudgeel is. Voeg de knoflook toe en schep er dan de bloem door. Schep er de wijn, bouillon, tomatenpuree, desgewenst de pruimedanten, het bouquet garni en zout en peper door. Breng al roerend aan de kook.

3 Doe het uimengsel in de pan van de cooker en schep er het vlees door. Leg er het deksel op en kook 7–8 uur op 'laag'. Verhit voor het garnituur de boter en olie in een schone koekenpan en bak er de sjalotjes en het spek goudbruin in. Schep door de daube, laat nog 30 minuten koken en dien dan op.

Tips

- **Neem anderhalf maal de hoeveelheid ingrediënten voor een grotere maat slow cooker en houd dezelfde kooktijd aan.**

- **U kunt voor dit recept ook runderstoofvlees gebruiken.**

Varkensvlees met paprika

Deze stoofschotel in Italiaanse stijl is heerlijk met aardappelpuree of romige polenta.

Voor 4 personen

Voorbereidingstijd: 25 minuten
Kooktijd: 8–10 uur
Slow cooker maat: standaard

1 eetlepel olijfolie
4 ribkarbonades, bot verwijderd, totaalgewicht circa
　700 g
1 ui, gehakt
1 rode paprika, gehalveerd, zaad en zaadlijsten
　verwijderd, in repen gesneden
1 oranje of gele paprika, gehalveerd, zaad en
　zaadlijsten verwijderd, in repen gesneden
2 tenen knoflook, gehakt
2 eetlepels bloem
400 g gehakte tomaat uit blik
2 dl kippenbouillon
een paar takjes verse tijm
zout en peper
aardappelpuree of polenta, voor het serveren

1 Verwarm zo nodig de slow cooker voor – zie de gebruiksaanwijzing. Verhit de olie in een koekenpan en schroei er de karbonades aan beide kanten in dicht. Doe ze over op een bord.

2 Doe de ui in de koekenpan en fruit 5 minuten onder regelmatig roeren tot de ui goudgeel is. Voeg de paprika's en knoflook toe en bak 1 minuut. Schep er de bloem door en voeg dan de tomaten, bouillon, tijm en wat zout en peper toe. Breng al roerend aan de kook.

3 Doe de karbonades in de pan van de slow cooker en schep er het tomatenmengsel over. Leg er het deksel op en kook 8–10 uur op 'laag'. Schep het gerecht op dienborden en serveer met aardappelpuree of polenta.

Tip
- **Kook snelkookpolenta al roerend 1-2 minuten in kokend water tot u een dikke pap heeft. Breng de polenta op smaak met boter, wat versgeraspte Parme-zaanse kaas en flink wat zout en peper.**

Hongaarse goulash

Goulash wordt vaak als een milde stoofschotel beschouwd, maar een echte Hongaarse goulash kan behoorlijk pittig zijn omdat paprikapoeder uit Oost-Europa in vier graden van scherpte verkrijgbaar is. Meng desgewenst paprikapoeder met chilipoeder voor een pikant gerecht. Serveer deze goulash met warme zuurkool of met gekookte aardappels.

Voor 4 personen

Voorbereidingstijd: 25 minuten
Kooktijd: 8–10 uur
Slow cooker maat: standaard

1 eetlepel zonnebloemolie
700 g varkensvlees, in blokjes gesneden
1 grote ui, gehakt
150 g champignons, gehalveerd
2 theelepels paprikapoeder, plus extra, ter garnering
1/4 theelepel gemalen kaneel
1/4 theelepel pimentpoeder
1 theelepel karwijzaad
2 eetlepels bloem
400 g gehakte tomaat uit blik
4,5 dl hete kippenbouillon
zout en peper
zure room, voor het serveren

1 Verwarm zo nodig de slow cooker voor – zie daarvoor de gebruiksaanwijzing. Verhit de olie in een koekenpan. Doe er telkens een aantal blokjes vlees tegelijk in en bak tot alle blokjes in de pan gebakken zijn. Schep er de ui door en bak nog 5 minuten tot de ui goudgeel is.

2 Voeg de champignons toe en laat 2 minuten bakken. Roer er de specerijen en bloem door en laat 1 minuut bakken. Schep er de tomaten door en breng het mengsel aan de kook.

3 Doe het mengsel in de pan van de slow cooker. Giet er de bouillon over en breng op smaak met zout en peper. Leg er het deksel op en laat 8–10 uur op 'laag' koken.

4 Schep de goulash op borden. Garneer met een schepje zure room en wat paprikapoeder.

Tip

- **Neem anderhalf maal de hoeveelheid ingrediënten voor een grotere maat slow cooker en houd dezelfde kooktijd aan.**

Gestoofde hele kip

Een hele kip is heel geschikt om in de slow cooker te bereiden. Door de kip eerst met de borst onder te garen blijft hij lekker sappig en in tegenstelling tot braden in de oven is het niet erg als de maaltijd wat later plaatsvindt.

Voor 4–5 personen

Voorbereidingstijd: 25 minuten
Kooktijd: 5–6 uur
Slow cooker maat: groot of extra groot

1 kip van 1,5 kg
2 eetlepels olijfolie
1 grote ui, in 6 partjes gesneden
5 dl droge cider
3 theelepels Dijonmosterd
2 theelepels fijne tafelsuiker
9 dl hete kippenbouillon
3 wortels, geschild en in stukken gesneden
3 stengels bleekselderij, in plakjes gesneden
1 citroen, in 6 partjes gesneden
20 g verse dragon
3 eetlepels crème fraîche
zout en peper
partjes citroen, ter garnering (desgewenst)

1 Verwarm zo nodig de slow cooker voor – zie daarvoor de gebruiksaanwijzing. Spoel de kip van binnen en buiten onder de koude kraan en dep hem droog met keukenpapier. Verhit de olie in een grote koekenpan. Leg er de kip eerst met de borst onder in. Bak 10 minuten, waarbij u de vogel een aantal keren omdraait, tot hij rondom bruin is.

2 Leg de kip met de borst onder in de pan van de slow cooker. Bak de parten ui in de olie in de koekenpan tot ze goudgeel zijn. Schep er de cider, mosterd, suiker en wat zout en peper door en breng aan de kook. Giet over de kip. Giet er de hete bouillon over en voeg dan de groenten, partjes citroen en 3 takjes verse dragon toe. Zorg ervoor dat de kip en groenten volledig onder het vocht liggen, zodat ze gelijkmatig gaar zullen worden.

3 Leg er het deksel op en kook 5–6 uur op 'hoog', of tot er helder vleessap uitloopt nadat u met de punt van een mes in het dikste deel van de bout en borst heeft geprikt. U kunt de kip desgewenst na 4 uur omdraaien.

4 Neem de kip uit het kooknat. Laat hem goed uitlekken en leg hem dan op een dienschaal. Schep de groenten met een schuimspaan uit het kooknat en schik ze rond de kip. Schep 6 dl van het kooknat uit de pan van de slow cooker en doe in een schenkkan. Bewaar een paar takjes verse dragon voor het garneren. Hak de rest fijn en klop met de crème fraîche door het kooknat in de schenkkan. Voeg zo nodig meer zout en peper toe. Snijd de kip in porties en serveer met de saus en groenten. Garneer desgewenst met verse partjes citroen en de apart gehouden takjes dragon.

met citroen

Spaanse gestoofde kip

Pittige chorizo geeft een authentiek mediterrane smaak aan een alledaagse kipschotel. Koop liefst een hele chorizoworst van een delicatessenwinkel en snijd hem zelf in blokjes omdat die veel meer smaak heeft dan de flinterdunne plakjes van de supermarkt.

Voor 6–8 personen

Voorbereidingstijd: 30 minuten
Kooktijd: 8–10 uur
Slow cooker maat: groot of extra groot

2 eetlepels olijfolie
6 kippendijen, desgewenst het vel verwijderd
6 kippendrumsticks, desgewenst het vel verwijderd
1 grote plak ui
2–3 tenen knoflook, gehakt
3 eetlepels bloem
2 blikken gehakte tomaten (elk blik 400 g)
150 g chorizoworst, in blokjes
750 g kleine nieuwe aardappels, schoongeboend,
   afhankelijk van hun grootte gehalveerd of in vieren
4,5 dl hete kippenbouillon
65 g ontpitte zwarte olijven
takjes verse rozemarijn of een snufje gedroogde
zout en peper
takjes verse basilicum of rozemarijn, ter garnering
knapperig brood, voor het serveren

1 Verwarm zo nodig de slow cooker voor – zie daarvoor de gebruiksaanwijzing. Verhit de olie in een grote koekenpan. Bak er de kip in porties in tot de stukken rondom goudbruin zijn. Laat ze uitlekken en leg ze op een bord.

2 Doe de ui in de koekenpan en bak 5 minuten tot hij goudgeel is. Voeg de knoflook toe en schep er dan de bloem door. Voeg de tomaten en chorizo toe en breng op smaak met zout en peper. Breng aan de kook.

3 Doe de kip en aardappels in de pan van de slow cooker en giet er het tomatenmengsel over. Voeg de hete bouillon, olijven en rozemarijn toe. Leg er het deksel op en kook 8–10 uur op 'laag'.

4 Schep in ondiepe soepborden en garneer met wat verse basilicum of rozemarijn. Geef er veel warm knapperig brood bij om de heerlijke sappen mee op te vegen.

Tips

• **Halveer de hoeveelheid ingrediënten voor een kleinere maat slow cooker en houd dezelfde kooktijd aan.**

• **U kunt als u al een fles wijn open heeft wat kippenbouillon vervangen door wat wijn.**

Perzische kip

Voor 4 personen

Voorbereidingstijd: 30 minuten
Kooktijd: 8¼–9¼ uur
Slow cooker maat: standaard

4 kippendrumsticks, het vel verwijderd
4 kippendijen, het vel verwijderd
2 eetlepels bloem
1 theelepel gemalen geelwortel
1 theelepel paprikapoeder
2 eetlepels olijfolie
1 grote ui, gehakt
2 tenen knoflook, gehakt (desgewenst)
4 kruidnagels
3 cm verse gember, fijngehakt
4,5 dl kippenbouillon
de dun geraspte schil en het sap van 1 sinaasappel
2 eetlepels honing
125 g jonge, malse spinazie, grondig gewassen, grote
  bladen in stukjes gescheurd
zout en peper
couscous, voor het serveren

1 Verwarm zo nodig de slow cooker voor – zie daarvoor de gebruiksaanwijzing. Kerf elk stuk kip 2 of 3 keer in met een klein, scherp mes. Meng op een bord de bloem met de geelwortel en het paprikapoeder. Bestuif er de kip lichtjes mee.

2 Verhit de olie in een koekenpan. Doe er de stukken kip in en bak ze rondom bruin. Doe de gebakken stukken kip over op een bord. Doe de ui en desgewenst de knoflook in de koekenpan en bak ze in 5 minuten goudbruin.

3 Schep er eventuele overgebleven gekruide bloem door. Voeg de kruidnagels, gember, bouillon, het sinaasappelraspsel en sap, de honing en zout en peper naar smaak toe en breng al roerend aan de kook.

4 Doe de stukken kip in de pan van de slow cooker en giet er het uimengsel over. Leg er het deksel op en kook 8–9 uur op 'laag' tot de kip gaar is. Voeg de spinazie toe en kook nog 15 minuten. Serveer de kip op een bed couscous.

Pilav van kip

en zongedroogde tomaten

In dit recept worden kipfilets op een bedje van wilde rijst en basmatirijst gesmoord met een volle tomatensaus. Serveer voor een makkelijke, lichte maaltijd met rucola met een lichte dressing van olijfolie en citroensap.

Voor 4 personen

Voorbereidingstijd: 25 minuten
Kooktijd: 2–2½ uur
Slow cooker maat: standaard

1 eetlepel olijfolie
4 kipfilets
1 grote ui, grof gehakt
2 tenen knoflook, gehakt (desgewenst)
400 g gehakte tomaat uit blik
50 g zongedroogde tomaten op olie, uitgelekt en
    in repen gesneden
2 theelepels pesto
6 dl hete kippenbouillon
150 g basmatirijst
50 g wilde rijst
zout en peper
rucolasalade, voor het serveren

1 Verwarm zo nodig de slow cooker voor – zie daarvoor de gebruiksaanwijzing. Verhit de olie in een koekenpan. Bak er de kipfilets aan een kant in tot die kant goudbruin is. Schep ze met een schuimspaan uit de pan en leg ze op een bord.

2 Doe de ui en de knoflook als u die gebruikt in de koekenpan en bak ze in 5 minuten goudbruin. Schep er de tomaten uit blik, zongedroogde tomaten en pesto door en bestrooi met zout en peper. Breng aan de kook. Doe het mengsel in de pan van de slow cooker en schep er de hete kippenbouillon door.

3 Spoel de basmatirijst onder de koude kraan en schep met de wilde rijst door het tomatenmengsel in de pan van de slow cooker. Schik er de kipfilets met de bruine kant boven op. Druk ze iets aan, zodat ze net onder het vocht komen te liggen. Zo zullen ze tijdens het koken niet uitdrogen. Leg er het deksel op en kook 2½–3 uur op 'hoog' tot de kip en rijst gaar zijn.

4 Schep de pilav op individuele borden en serveer met een rucolasalade.

Tip
• **U kunt dit gerecht zonder gevaar iets langer dan de opgegeven tijd laten koken. Giet er in dat geval nog wat hete kippenbouillon bij.**

Kalkoenchili
met chocolade

Mexicaanse koks gebruiken allang pure chocolade in hartige gerechten – chocolade is met name heerlijk bij kip of kalkoen en met chilipeper. Serveer met tortilla's of rijst en een groene salade.

Voor 4 personen

Voorbereidingstijd: 25 minuten
Kooktijd: 8–10 uur
Slow cooker maat: standaard

1 eetlepel zonnebloemolie

500 g kalkoengehakt

1 grote ui, gehakt

2 tenen knoflook, gehakt

1/2-1 theelepel chilipoeder

1 theelepel komijnzaad, licht geplet

1/2 theelepel gemalen kaneel

1/4 theelepel gemalen kruidnagel

1 eetlepel bloem

400 g rode nierbonen uit blik, afgegoten en
  afgespoeld

400 g gehakte tomaat uit blik

4,5 dl kippenbouillon

1 eetlepel tomatenpuree

25 g pure chocolade, gehakt

zout en peper

Serveren

4 zachte tortilla's

guacamole (zie Tip)

4 eetlepels zure room

1 Verwarm zo nodig de slow cooker voor – raadpleeg de gebruiksaanwijzing. Verhit de olie in een koekenpan. Doe er het kalkoengehakt en de ui in en roerbak in 5 minuten goudbruin. Schep er de knoflook, specerijen en bloem door. Voeg dan de nierbonen, tomaten uit blik, bouillon, tomatenpuree, chocolade en wat zout en peper toe.

2 Breng aan de kook, waarbij u grote stukken gehakt in stukjes breekt. Doe het mengsel over in de pan van de slow cooker. Leg er het deksel op en kook 8–10 uur op 'laag'. Schep alles goed om en serveer in warme, zachte tortilla's, gegarneerd met guacamole en een lepel zure room.

Tips

• **Verdubbel de hoeveelheden ingrediënten voor een extra grote slow cooker maar houd dezelfde kooktijd aan.**

• **Halveer voor de guacamole een avocado en verwijder de pit. Schep er met een lepel het vruchtvlees uit en prak tot een grove puree met vers limoensap of citroensap en wat zout en peper.**

Hertensaucijsjes
met linzen

Voor 4 personen

Voorbereidingstijd: 20 minuten
Kooktijd: 6–7 uur
Slow cooker maat: standaard

1 eetlepel olijfolie

8 verse hertensaucijsjes, of een andere verse worst

1 grote ui, gehakt

2 tenen knoflook, gehakt (desgewenst)

2 eetlepels bloem

9 dl hete kippenbouillon

3 eetlepels bruine basterdsuiker

2 eetlepels tomatenpuree

2 eetlepels balsamicoazijn

200 g Puy-linzen

250 g cranberry's, zo nodig ontdooid

2 laurierbladen

zout en peper

knapperig brood, voor het serveren

1 Verwarm zo nodig de slow cooker voor – zie daarvoor de gebruiksaanwijzing. Verhit de olie in een koekenpan. Bak er de saucijsjes op een hoog vuur in tot ze rondom bruin maar niet gaar zijn. Doe de saucijsjes over op een bord.

2 Doe de ui in de koekenpan en fruit 5 minuten onder regelmatig roeren tot de ui goudgeel is. Voeg de knoflook als u die gebruikt toe en schep er vervolgens de bloem door. Roer er de bouillon, suiker, tomatenpuree, azijn en wat zout en peper door en breng aan de kook.

3 Doe de linzen, cranberry's en laurierbladen in de pan van de slow cooker. Giet er het hete bouillonmengsel over en voeg de saucijsjes toe. Leg er het deksel op en kook 6–7 uur op 'laag'. Schep alles goed om en schep in ondiepe soepborden. Serveer met warm knapperig brood.

Fazant

Dit gerecht is heel geschikt voor een feestmaaltijd. Een romige gratin Dauphinois en sperziebonen zijn beide heerlijke bijgerechten.

Voor 4 personen

Voorbereidingstijd: 35 minuten
Kooktijd: 2–2 1/2 uur
Slow cooker maat: standaard

4 fazantenborsten, totaalgewicht circa 600 g
een klein bosje verse salie
100 g gerookte pancetta, in dunne plakken
25 g boter
200 g sjalotjes, grote exemplaren gehalveerd
2 eetlepels bloem
1,5 dl droge cider
1,5 dl kippenbouillon
1 theelepel Dijonmosterd
1 handappel, uitgeboord en in plakjes gesneden
240 g hele, gepelde kastanjes uit blik, afgegoten
zout en peper
gehakte verse bladpeterselie, ter garnering

1 Verwarm zo nodig de slow cooker voor – zie daarvoor de gebruiksaanwijzing. Spoel de fazantenborsten onder de koude kraan. Dep ze droog met keukenpapier en bestrooi ze met zout en peper. Leg een paar salieblaadjes op elk borststuk en wikkel ze dan zo in de plakken pancetta dat ze volledig bedekt zijn. Bind de pancetta met tussenruimten met lussen keukengaren vast, zodat hij goed op zijn plaats zal blijven zitten.

2 Verhit de boter in een koekenpan en bak er de sjalotjes in 4-5 minuten bruin in. Schep er de bloem door en voeg dan de cider, bouillon en mosterd toe. Voeg de appel, kastanjes en wat zout en peper toe. Breng al roerend aan de kook.

3 Schik de fazantenborsten in de pan van de slow cooker. Giet er het sjalotmengsel over. Leg er het deksel op en kook 2 1/2–3 uur op 'laag' tot de fazant gaar is. Schep op borden. Verwijder het keukengaren van de fazanten en garneer met gehakte peterselie.

Tip

- **U kunt kipfilets op dezelfde manier bereiden. Kipfilets drogen in tegenstelling tot fazantenborsten niet zo snel uit. U kunt ze dus 2 1/2–3 uur in de slow cooker houden als u tijd te kort komt.**

met pancetta

Snelle wildpastei

Voor 6 personen

Voorbereidingstijd: 45 minuten
Kooktijd: 8¹/₂–9¹/₂ uur
Slow cooker maat: standaard

15 g boter
1 eetlepel olijfolie
1 fazantenhaan, in stukken verdeeld
1 kippenbout, in drumstick en dij verdeeld
350 g blokken hertenvlees
1 grote ui, gehakt
100 g gerookt, doorregen rookspek aan een stuk, zo
   nodig het zwoerd verwijderd, in blokjes
3 eetlepels cognac
2 dl rode wijn
3 dl kippenbouillon
2 theelepels jeneverbessen
3 laurierbladen
1 eetlepel tomatenpuree
4 theelepels maïzena
zout en peper

Deegcirkels

500 g vellen diepgevroren bladerdeeg, ontdooid
losgeklopt ei, voor het bestrijken
grof zeezout, voor het bestrooien

1 Verwarm zo nodig de slow cooker voor – zie de gebruiksaanwijzing. Verhit de boter en olie in een koekenpan. Leg er de stukken fazant en kip in en bak ze rondom bruin. Doe ze over op een bord.

2 Doe de blokken hertenvlees, ui en rookspek in de koekenpan en roerbak 5 minuten tot alles bruin is. Voeg de cognac toe, breng aan de kook en steek met een lange lucifer aan. Stap even naar achteren en zorg dat de afzuigkap uit staat. Voeg nadat de vlammen gedoofd zijn de rode wijn, bouillon, jeneverbessen, laurierbladen, tomatenpuree en wat zout en peper toe. Breng al roerend aan de kook.

3 Schik de fazant en kip in de pan van de cooker. Giet er het hert-uimengsel over. Leg er het deksel op en kook 8–9 uur op 'laag' tot alles gaar is.

4 Neem de fazant en kip uit de pan van de slow cooker, maar houd de slow cooker nog aan. Neem het vlees van de botten en doe het vlees terug in de pan. Meng in een kommetje de maïzena met wat water tot een glad papje en schep dat door het mengsel in de pan. Leg er het deksel weer op en laat nog 30 minuten sudderen.

5 Rol intussen het deeg op een licht met bloem bestoven werkvlak dun uit en snijd er 6 cirkels van 12 cm doorsnee uit. Leg ze op een ingevette bakplaat. Snijd decoratieve bladvormpjes uit de restjes deeg en schik ze op de deegcirkels. Bestrijk het deeg met ei, bestrooi met het grove zout en zet 8–10 minuten in een op 200°C voorverwarmde oven tot ze gerezen en goudgeel zijn.

6 Schep het wildmengsel op borden. Verwijder de laurierbladen en garneer met de deegcirkels. Dien onmiddellijk op.

Cassoulet

Dit Franse zogenaamde 'boereneten' wordt op de traditionele manier met bonen, blokjes varkensvlees, pittige worst, tomaten en rode landwijn gemaakt. In dit recept wordt eend in plaats van de traditionele en duurdere gans gebruikt.

Voor 4 personen

Voorbereidingstijd: 30 minuten
Kooktijd: 8–9 uur
Slow cooker maat: standaard

4 kleine, tamme eendenbouten

250 g plakken mager zuurkoolspek of speklapjes, zwoerd verwijderd, in blokjes

1 grote ui, gehakt

2–3 tenen knoflook, gehakt

2 eetlepels bloem

400 g gehakte tomaat uit blik

2 dl rode wijn

1 dl kippenbouillon

1 eetlepel bruine basterdsuiker

2 theelepels Dijonmosterd

2 blikken, elk 400 g, gemengde bonen, uitgelekt en afgespoeld

125 g chorizoworst, in blokjes

1 vers of gedroogd bouquet garni

40 g vers broodkruim

zout en peper

groene salade, voor het serveren

1 Verwarm zo nodig de slow cooker voor – zie daarvoor de gebruiksaanwijzing. Bak de eendenbouten in een droge koekenpan rondom bruin. Doe ze over op een bord. Giet op 1 eetlepel na het vet uit de pan.

2 Doe de blokjes spek en ui in de koekenpan en fruit ze onder regelmatig roeren in 5 minuten goudgeel. Roer er de knoflook en bloem door. Schep er de tomaten, wijn, bouillon, suiker en mosterd door. Breng op smaak met zout en peper en breng al roerend aan de kook.

3 Giet de helft van de uitgelekte bonen in de pan van de slow cooker. Schik er de stukken eend, chorizo en het bouquet garni op. Schep er de rest van de bonen op en giet er dan het spek-tomaten-mengsel over. Strooi er het broodkruim over. Leg het deksel op de slow cooker en kook 8–9 uur op 'laag'. Schep de cassoulet op individuele borden en serveer met een groene salade.

Tip

• **Als uw slow cooker een maximum capaciteit van minder dan 2,5 liter heeft, neemt u 2 gehalveerde eendenborsten en 250 g extra zuurkoolspek, omdat het mengsel anders niet in de de slow cooker zal passen.**

Groenteschotels

van bieten en bruine bonen

Echt heerlijk en toch met weinig ingrediënten gemaakt. Deze salade wordt hier als hoofdgerecht geserveerd, maar is in kleinere porties ook heel geschikt als voorgerecht.

Voor 4-5 personen

Voorbereidingstijd: 25 minuten
Kooktijd: 3$\frac{1}{2}$–4$\frac{1}{2}$ uur
Slow cooker maat: standaard

1 eetlepel olijfolie
1 grote ui, gehakt
500 g rauwe bieten, geschild en in kleine blokjes
  gesneden
2 blikken borlottibonen, elk 400 g, uitgelekt en
  afgespoeld
4,5 dl groentebouillon
zout en peper

Serveren

$\frac{1}{4}$ komkommer, in kleine blokjes gesneden
200 g yoghurt
1 krop Romeinse bindsla of ijsbergsla
4 lente-uitjes, in dunne ringetjes
4 eetlepels gehakte verse koriander- of muntblaadjes
zout en peper

1 Verwarm zo nodig de slow cooker voor – zie daarvoor de gebruiksaanwijzing. Verhit de olie in een koekenpan. Doe er de ui in en roerbak 5 minuten tot hij zacht is. Doe de bieten, uitgelekte bonen, bouillon en flink wat zout en peper in de pan. Breng al roerend aan de kook.

2 Doe het bietenmengsel over in de pan van de slow cooker. Leg er het deksel op en kook 3$\frac{1}{2}$–4$\frac{1}{2}$ uur op 'laag' tot de biet gaar is. Schep goed om en til de pan uit de slow cooker.

3 Schep de blokjes komkommer door de yoghurt en breng op smaak met zout en peper. Haal de slabladen los en spoel onder de koude kraan. Slinger ze droog en schik ze op 4 of 5 grote borden. Schep er de warme bietensalade op en schep er wat komkommer en yoghurt bij. Bestrooi met lente-ui en verse koriander of munt en dien onmiddellijk op.

Tip

- **U kunt desgewenst gedroogde bonen in plaats van bonen uit blik gebruiken – week 200 g gedroogde bonen een nacht en laat ze 10 minuten krachtig koken voor u ze laat uitlekken. Gebruik de bonen verder zoals boven beschreven staat.**

Kikkererwten met gember

Kikkererwten uit blik zitten vol eiwit en zijn een gezond en voordelig ingrediënt in de voorraadkast. Ze worden in dit recept gebruikt voor een hoofdgerecht van een avondmaaltijd. Serveer bijvoorbeeld met warm pitabrood, gekookte rijst of Kokos-limoenrijst (zie pagina 37).

Voor 4 personen

Voorbereidingstijd: 15 minuten
Kooktijd: 4–5 uur
Slow cooker maat: standaard

1 eetlepel olijfolie
1 grote ui, gehakt
2 kleine pastinaken, in blokjes
2 wortels, in blokjes
5 cm verse gember, geschild en fijngehakt
1 theelepel venkelzaad, licht geplet
1 theelepel gemalen geelwortel
2 theelepels paprikapoeder
400 g gehakte tomaat uit blik
400 g kikkererwten uit blik, afgegoten en afgespoeld
1 eetlepel lichte of donkerbruine basterdsuiker
6 dl hete groentebouillon
zout en peper
verse korianderblaadjes, ter garnering

1 Verwarm zo nodig de slow cooker voor – zie daarvoor de gebruiksaanwijzing. Verhit de olie in een koekenpan. Doe er de ui in en bak hem in 5 minuten goudbruin. Voeg de blokjes pastinaak en wortel toe en laat nog 2–3 minuten bakken.

2 Schep er de gember, het venkelzaad, de geel-wortel en het paprikapoeder door. Schep er dan de tomaten, kikkererwten, suiker en flink wat zout en peper door. Breng aan de kook en doe het mengsel in de pan van de slow cooker. Roer er de hete bouillon door.

3 Leg er het deksel op en kook 4–5 uur op 'laag' tot de groenten gaar zijn. Schep in ondiepe soepborden, garneer met verse koriander en dien op.

Tip

- Dit gerecht is geschikt om in individuele porties in te vriezen. Warm de porties in de magnetron op.

Paddestoelen– cannellinibonenstroganov

Voor 4 personen

Voorbereidingstijd: 25 minuten
Kooktijd: 2½–3 uur
Slow cooker maat: standaard

25 g gedroogde boleten (porcini)

2 dl kokend water

25 g boter

1 eetlepel zonnebloemolie

1 grote ui, gehakt

3 stengels bleekselderij, in plakjes

250 g kastanjechampignons, afhankelijk van hun
grootte gehalveerd of in vieren gesneden

1–2 tenen knoflook, gehakt of uit de knijper
(desgewenst)

3 eetlepels bloem

2 dl droge witte wijn of droge cider

1,5 dl groentebouillon

2 theelepels Dijonmosterd

¼ theelepel cayennepeper

een kleine bosje verse tijm of een snufje gedroogde
tijm

400 g cannellinibonen uit blik, afgegoten en
afgespoeld

zout

zure room, voor het serveren

cayennepeper of paprikapoeder, ter garnering

1 Doe de gedroogde paddestoelen in een kom en giet er het kokende water over. Laat ze 10 minuten weken. Verwarm zo nodig intussen de slow cooker voor – zie daarvoor de gebruiksaanwijzing.

2 Verhit de boter en olie in een koekenpan. Doe er de ui in en fruit tot die goudgeel is. Schep er de bleekselderij, kastanjechampignons en de knoflook als u die gebruikt door en bak 2–3 minuten. Schep er de bloem door en voeg dan geleidelijk de wijn en bouillon toe. Schep er de mosterd, cayennepeper en wat zout door. Houd een paar takjes tijm voor het garneren apart en hak de rest. Doe de gehakte tijm, geweekte paddestoelen en het weeknat in de pan. Breng al roerend aan de kook.

3 Doe het paddestoelenmengsel in de pan van de slow cooker en schep er dan de bonen door. Leg er het deksel op en kook 2½–3 uur op 'laag'. Schep over op dienborden. Bestrooi met de afgeriste blaadjes van de bewaarde takjes tijm. Garneer met zure room en sprenkel er wat cayennepeper of paprikapoeder over.

Bloemkool balti

Deze milde kerrieschotel wordt aan het eind van het koken met gemalen amandelen gebonden. Serveer met warm naan-brood dat u in de saus kunt dopen.

Voor 4 personen
Voorbereidingstijd: 25 minuten
Kooktijd: $3^1/_4$ – $4^1/_4$ uur
Slow cooker maat: standaard

2 eetlepels zonnebloemolie
1 grote ui, fijngehakt
1 aubergine, in blokjes
2 theelepels komijnzaad, licht geplet
2 theelepels zwart mosterdzaad
1 theelepel gemalen geelwortel
1 eetlepel milde kerriepasta
2–3 tenen knoflook, gehakt
400 g gehakte tomaat uit blik
4,5 dl groentebouillon
1 bloemkool, in roosjes verdeeld
1 vaste aardappel, in blokjes
3 eetlepels gemalen amandelen
zout en peper
verse korianderblaadjes, ter garnering (desgewenst)
naan-brood, voor het serveren

1 Verwarm zo nodig de slow cooker voor – zie daarvoor de gebruiksaanwijzing. Verhit de olie in een koekenpan. Doe er de ui in en bak hem 5 minuten tot hij goudbruin is. Voeg de aubergine toe en bak 3–4 minuten tot die zacht is.

2 Schep er de specerijen, kerriepasta en knoflook door en roerbak 1 minuut. Schep er vervolgens de tomaten, bouillon en zout en peper door. Breng al roerend aan de kook.

3 Doe de bloemkool en aardappel in de pan van de slow cooker en schep er het tomaten-mengsel over. Leg er het deksel op en kook 3–4 uur op 'hoog' tot de groenten gaar zijn. Schep er de gemalen amandelen door en laat nog 15 minuten koken. Schep in ondiepe soepborden. Garneer met de korianderblaadjes als u die gebruikt en serveer met warm naan-brood.

Chakchouka

Aan dit ratatouilleachtige gerecht, dat erg populair is in Noord-Afrika, worden aan het eind van de kooktijd hele eieren toegevoegd zodat ze tussen de groenten kunnen pocheren. Gebruik desgewenst gemalen, gedroogde chilipeper voor extra smaak.

Voor 4 personen

Voorbereidingstijd: 20 minuten
Kooktijd: 3 – 3½ uur
Slow cooker maat: standaard

2 eetlepels olijfolie

1 grote ui, grof gehakt

2 rode paprika's, het zaad verwijderd, in stukjes

1 oranje paprika, het zaad verwijderd, in stukjes

2 grote courgettes, in grote blokjes gesneden

2 tenen knoflook, uit de knijper

400 g gehakte tomaat uit blik

2 theelepels fijne tafelsuiker

4 eieren

zout en peper

knapperig brood voor het serveren

1 Verwarm zo nodig de slow cooker voor – zie daarvoor de gebruiksaanwijzing. Verhit de olie in een koekenpan. Doe er de ui in en bak hem 5 minuten tot hij goudgeel is. Voeg de paprika's, courgette en knoflook toe en bak alles nog 2 minuten. Roer er de tomaten, suiker en wat zout en peper door en breng aan de kook.

2 Doe het mengsel in de pan van de slow cooker. Leg er het deksel op en kook 2½ – 3 uur op 'hoog'. Schep het mengsel om en maak met een lepel 4 ondiepe holtes, elk met een kleine tussenruimte. Breek een ei in elke holte. Leg het deksel weer op de pan en laat nog 25–30 minuten koken tot het wit gestold is en de dooiers nog zacht zijn. Schep zorgvuldig over op ondiepe soepborden en geef er warm krokant brood of knoflookbrood bij.

Tip

• **Dit gerecht kunt u zonder de eieren in individuele porties invriezen en daarna in de magnetron opwarmen.**

Soffritto
van spliterwten

Dit Midden-Oosterse gerecht lijkt veel op Indiase dhal, maar hier worden spliterwten in plaats van linzen gebruikt. De soffritto wordt opgediend met geroosterde croûtons die zijn besmeerd met een scherpe harissaboter.

Voor 4 personen

Voorbereidingstijd: 30 minuten, plus een nacht weektijd
Kooktijd: 6–7 uur
Slow cooker maat: standaard

150 g spliterwten, een nacht in koud water geweekt
3 eetlepels olijfolie
1 grote ui, gehakt
3 wortels, in blokjes
½ theelepel pimentón (gerookt-paprikapoeder)
7,5 dl groentebouillon
zout en peper

Garnituur

75 g boter
2 theelepels harissa
2 tenen knoflook, uit de knijper
2 eetlepels gehakte verse munt
1 klein stokbrood, in sneetjes

Tip

• **Harissa is een Noord-Afrikaanse specerij die is gemaakt van chilipepers, knoflook, gedroogde koriander, munt en karwijzaad. Harissa is bij ons in Marokkaanse en Turkse winkels te koop.**

1 Verwarm zo nodig de slow cooker voor – zie daarvoor de gebruiksaanwijzing. Giet de spliterwten af en spoel ze onder de koude kraan. Verhit de olie in een koekenpan. Doe er de ui in en bak hem in 5 minuten goudgeel. Roer er de wortels en pimentón door en bak 1 minuut.

2 Schep er de spliterwten door. Giet er de bouillon bij en breng het geheel op smaak met zout en peper. Breng aan de kook en laat al roerend 2 minuten koken.

3 Giet het mengsel in de pan van de slow cooker. Leg er het deksel op en kook 6–7 uur op 'laag'. Maak intussen de pikante boter door de boter in een ondiepe kom met de harissa te kloppen. Meng er de knoflook en munt door, dek af met plasticfolie en bewaar in de koelkast.

4 Schep de soffritto in ondiepe soepborden en schep er een beetje pikante boter door. Rooster de sneetjes stokbrood en besmeer ze met de overgebleven boter. Schik de croûtons op de soffritto en dien onmiddellijk op.

Gestoofde pompoen

en wortel

Dit gerecht ruikt tijdens het koken zo lekker dat een vleeseter aan tafel zeker ook om een portie zal vragen. Controleer als u dit gerecht voor strikte vegetariërs maakt dat de gebruikte kaas met vegetarisch stremsel is bereid.

Voor 4 personen

Voorbereidingstijd: 45 minuten
Kooktijd: 3–3½ uur
Slow cooker maat: standaard

1 eetlepel zonnebloemolie
1 grote ui, gehakt
500 g pompoen, gewone of fleskalebas, geschild, het zaad verwijderd, in blokjes gesneden
500 g wortels, in blokjes gesneden
400 g gehakte tomaat uit blik
2,5 dl groentebouillon
1 theelepel fijne tafelsuiker
2–3 takjes verse rozemarijn of een snufje gedroogde
zout en peper

Deklaagje

150 g zelfrijzend bakmeel
een snufje zout
50 g boter
75 g blauwe kaas als Stilton, Roquefort, Gorgonzola, de korst verwijderd, in blokjes gesneden
4 theelepels fijngehakte verse rozemarijn (desgewenst)
4 eetlepels water

1 Verwarm zo nodig de slow cooker voor – zie daarvoor de gebruiksaanwijzing. Verhit de olie in een koekenpan. Doe er de ui in en bak hem 5 minuten tot hij goudgeel is.

2 Schep er de pompoen, wortels, tomaten, bouillon, suiker, rozemarijn en wat zout en peper door. Breng al roerend aan de kook.

3 Doe het groentemengsel in de pan van de slow cooker. Leg er het deksel op en kook 2½–3 uur op 'hoog' tot de groenten gaar zijn.

4 Maak intussen het deklaagje. Doe het meel en zout in een kom. Wrijf er de boter door tot het mengsel op fijn broodkruim lijkt. Kneed er de kaas en de rozemarijn als u die gebruikt door. Roer er daarna net genoeg water door om een glad en zacht deeg te maken.

5 Vorm het deeg tot een rondje van 18 cm doorsnee en snijd dat in 8 partjes. Schik deze partjes bovenop het pompoenmengsel. Leg het deksel weer op de slow cooker en laat nog 30 minuten koken tot het deeg gerezen en luchtig is. U kunt als uw slow cooker onder uw grill past de pan desgewenst vlak voor het serveren eronder zetten om het broodlaagje mooi bruin te laten worden.

Pistache-abrikozenpilav

Dit is een makkelijk te maken maaltijd met zaken uit uw voorraadkast. Maak alles klaar voor u de kinderen uit school ophaalt en begin met koken wanneer de kleintjes in bad moeten.

Voor 4 personen

Voorbereidingstijd: 25 minuten
Kooktijd: 2½–3 uur
Slow cooker maat: standaard

1 eetlepel olijfolie
1 grote ui, gehakt
75 g gemengde pistachenoten, walnoten en hazelnoten
25 g zonnebloempitten
200 g snelkokende zilvervliesrijst
1 liter groentebouillon
75 g gedroogde abrikozen, gehakt
25 g krenten
1 kaneelstokje, in tweeën gebroken
6 kruidnagels
3 laurierbladen
1 eetlepel tomatenpuree
zout en peper

Garneren

licht geroosterde gemengde notensoorten

1 Verwarm zo nodig de slow cooker voor – zie daarvoor de gebruiksaanwijzing. Verhit de olie in een koekenpan. Doe er de ui in en bak hem 5 minuten tot hij goudgeel is.

2 Doe de noten en pitten ook in de koekenpan en fruit ze goudgeel. Schep er de rijst en bouillon door. Schep er dan de zuidvruchten, specerijen, laurierbladen, tomatenpuree en wat zout en peper door. Breng al roerend aan de kook.

3 Doe het mengsel in de pan van de slow cooker. Leg er het deksel op en kook 2½–3 uur op 'laag' tot de rijst gaar is en alle bouillon is opgenomen. Verwijder voor het serveren de kaneel, kruidnagels en laurierbladen. Garneer met de notensoorten.

Tip

• **Neem anderhalf maal de hoeveelheid ingrediënten voor een grotere maat slow cooker maar houd dezelfde kooktijd aan.**

Jollof met zoete aardappel en kastanjes

Dit Afrikaanse gerecht, dat per traditie met rijst wordt gemaakt, wordt hier met gerst gemaakt en op smaak gebracht met gemalen foelie en hele kruidnagels. Het krijgt een garnituur van koolsalade.

Voor 4 personen

Voorbereidingstijd: 30 minuten
Kooktijd: 4–5 uur
Slow cooker maat: standaard

1 eetlepel zonnebloemolie
1 grote ui, gehakt
1/2 theelepel pimentón (gerookt-paprikapoeder), of chilipoeder
500 g zoete aardappel, geschild en in blokjes van 1,5 cm gesneden
240 g hele, gepelde kastanjes uit blik, afgegoten
100 g parelgort
1/4 theelepel gemalen foelie
4 kruidnagels
6 dl groentebouillon
1 eetlepel tomatenpuree
zout en peper

Garneren

1 handappel, uitgeboord en fijngehakt
1 kleine sinaasappel, in partjes verdeeld en gehakt
125 g rodekool of wittekool, in reepjes
1 eetlepel fijngehakte verse koriander

1 Verwarm zo nodig de slow cooker voor – zie daarvoor de gebruiksaanwijzing. Verhit de olie in een koekenpan. Doe er de ui in en bak hem in 5 minuten goudgeel. Roer er de pimentón of het chili-poeder door en laat alles nog 1 minuut bakken.

2 Schep er de zoete aardappel, kastanjes, parel-gort, foelie, kruidnagels, bouillon, tomatenpuree en wat zout en peper door. Breng alles al roerend aan de kook.

3 Doe het mengsel in de pan van de slow cooker. Leg er het deksel op en kook 4–5 uur op 'laag' tot de gort en aardappels gaar zijn.

4 Meng alle ingrediënten voor het garnituur. Schep de jollof op individuele borden, garneer met de koolsalade en dien op.

sperziebonen en pesto

Risotto is heel makkelijk in een slow cooker te maken omdat de rijst zo langzaam kookt dat er geen kans is dat hij droog kookt. Hier zijn diepvriesgroenten gebruikt om tijd te besparen, maar u kunt er natuurlijk ook verse groenten voor gebruiken.

Voor 4 personen

Voorbereidingstijd: 20 minuten
Kooktijd: circa 1 1/3 – 1 1/2 uur
Slow cooker maat: standaard

25 g boter
1 eetlepel olijfolie
1 ui, gehakt
2 tenen knoflook, gehakt
250 g risottorijst
1,2 liter hete groentebouillon
2 theelepels pesto
125 g diepgevroren haricots verts
125 g diepgevroren doperwtjes
zout en peper

Garneren
geschaafde Parmezaanse kaas
verse basilicumblaadjes

1 Verwarm zo nodig de slow cooker voor – zie daarvoor de gebruiksaanwijzing. Verhit de boter en olie in een pan. Roerbak er de ui 5 minuten in tot hij zacht is en net bruin begint te worden.

2 Schep er de knoflook en rijst door en roerbak 1 minuut. Giet er op 1,5 dl na de bouillon over. Breng op smaak met zout en peper en breng aan de kook. Doe alles over in de pan van de slow cooker, leg er het deksel op en kook 2 uur op 'laag'.

3 Schep er de pesto en zo nodig de rest van de bouillon door als er meer vocht nodig is. Leg de bevroren groenten bovenop de rijst. Leg er het deksel weer op en laat nog 20-30 minuten koken tot de groenten heet zijn. Garneer met geschaafde Parmezaanse kaas en basilicumblaadjes en dien op.

Tip

• **Vervang als u geen zuivelproducten mag consumeren de boter door wat extra olijfolie, gebruik verse basilicum in plaats van pesto en besprenkel met citroensap in plaats van het garnituur van Parmezaanse kaas.**

Chili

Deze chili wordt hoe langer hij gekookt wordt steeds lekkerder. Dit gerecht is heel geschikt om in porties in te vriezen.

Voor 4–6 personen

Voorbereidingstijd: 30 minuten, plus een nacht weektijd
Kooktijd: 8–10 uur
Slow cooker maat: standaard

250 g gedroogde zwarte bonen, een nacht in koud
    water geweekt
2 eetlepels olijfolie
1 grote ui, gehakt
2 wortels, in blokjes
2 stengels bleekselderij, in plakjes
2–3 tenen knoflook, gehakt
1 theelepel venkelzaad, licht geplet
1 theelepel komijnzaad, licht geplet
2 theelepels korianderzaad, gekneusd
1 theelepel chilipoeder (pimentón of gerookt-
    paprikapoeder)
400 g gehakte tomaat uit blik
3 dl groentebouillon
1 eetlepel bruine basterdsuiker
zout en peper

Avocadosalsa

1 avocado
de geraspte schil en het sap van 1 limoen
$\frac{1}{2}$ rode ui, gesnipperd
2 tomaten, in blokjes
2 eetlepels gehakte verse korianderblaadjes

Serveren

150 g zure room of yoghurt
gekookte rijst of knapperig brood

1 Verwarm zo nodig de slow cooker voor – zie daarvoor de gebruiksaanwijzing. Giet de geweekte bonen af en spoel ze onder de koude kraan. Doe de bonen in een pan, giet er zoveel water over dat ze onderstaan en breng aan de kook. Laat 10 minuten koken en giet dan over in een vergiet.

2 Verhit intussen de olie in een pan en fruit er de ui 5 minuten in tot hij zacht is. Schep er de wortels, bleekselderij en knoflook door en bak 2–3 minuten. Schep er het gekneusde venkelzaad, komijn-zaad, korianderzaad en het chilipoeder door en laat alles nog 1 minuut bakken.

3 Schep er de tomaten, bouillon, suiker en wat peper door. Breng aan de kook en doe het mengsel dan over in de pan van de slow cooker. Schep er de bonen door. Druk ze aan, zodat ze hele-maal onder het vocht liggen en leg er het deksel op. Kook 8–10 uur op 'laag'.

4 Maak circa 10 minuten voor het serveren de avocadosalsa. Halveer de avocado, verwijder de pit en trek de schil eraf. Snijd het vruchtvlees in blokjes. Doe in een kom en schep er het limoen-raspsel en sap, de ui, tomaten en koriander door.

5 Breng de bonen op smaak met zout en peper. Serveer met zure room of yoghurt en de avoca-dosalsa en geef er gekookte rijst of krokant brood bij.

met zwarte bonen

Zeebanket

in rode wijn

Deze op de traditionele Griekse manier met rode wijn en laurierbladen gekookte inktvis lijkt bijna in de mond te smelten. Serveer als lichte lunch voor vier personen of als voorgerecht voor zes personen bij een diner.

Voor 4 personen

Voorbereidingstijd: 25 minuten
Kooktijd: 3½–4½ uur
Slow cooker maat: standaard

650 g schoongemaakte inktvis
2 eetlepels olijfolie
2 grote uien, in dunne plakken
400 g pruimtomaten, desgewenst het vel verwijderd, grof gehakt
2–3 tenen knoflook, gehakt
2 laurierbladen
2–3 takjes verse rozemarijn
2 dl rode wijn
2 eetlepels rode- of witte-wijnazijn
2 theelepels suiker
zout en peper
knapperig brood, voor het serveren

Tips

• **Neem anderhalf maal de hoeveelheid ingrediënten voor een grotere maat slow cooker maar houd dezelfde kooktijd aan.**

• **In plaats van inktvis kunt u een middelgrote octopus gebruiken. Laat die wel eerst 1 uur in een pan water sudderen voor u hem in stukjes snijdt en verder als in het recept boven gebruikt.**

1 Verwarm zo nodig de slow cooker voor – zie de gebruiksaanwijzing. Spoel de inktvis af in ruim koud water. Laat hem goed uitlekken. Trek er de tentakels af. Doe ze in een aparte kom. Dek die af en zet hem in de koelkast. Snijd de lichaamszak van de inktvis in 1 cm brede ringen. Leg de ringen weg.

2 Verhit de olie in een koekenpan en fruit er de ui onder af en toe omscheppen 5 minuten in tot hij lichtbruin is. Voeg de tomaten en knoflook toe en laat nog 2–3 minuten bakken. Voeg vervolgens de laurierbladen, rozemarijn, wijn, azijn, suiker en flink wat zout en peper toe.

3 Schep de inktvisringen door het tomatenmengsel en breng aan de kook. Giet alles over in de pan van de slow cooker. Druk de inktvis onder de vochtspiegel en leg er dan het deksel op. Laat 3–4 uur koken op ' laag'.

4 Roer goed om. Voeg de bewaarde tentakels toe en laat nog 30 minuten koken. Schep de inktvis in ondiepe soepborden en garneer met wat verse basilicum of rozemarijn. Geef er veel warm knapperig brood bij om de heerlijke sappen mee op te vegen.

Gevulde zeeduivel
met koriander en chilipeper

Deze vlezige, kreeftachtige witte vis wordt met een heerlijk fris mengsel van verse koriander, chilipeper en limoenraspsel gevuld. Vlak voor het serveren wordt er paksoi aan toegevoegd.

Voor 3–4 personen

Voorbereidingstijd: 40 minuten
Kooktijd: circa 2½ uur
Slow cooker maat: standaard – liefst ovaalvormig

1 zeeduivelstaart, totaalgewicht circa 900 g
een klein bosje verse koriander
50 g boter
de geraspte schil en het sap van 1 limoen
1–2 verse, grote, milde rode chilipepers, in de lengte
   gehalveerd, het zaad verwijderd, fijngehakt
2 lente-uitjes, in ringetjes gesneden
1,5 dl hete visbouillon
150 g paksoi, in grote stukken gehakt
zout en peper
partjes limoen, ter garnering
witte rijst of zachte noedels voor het serveren

1 Verwarm zo nodig de slow cooker voor – zie daarvoor de gebruiksaanwijzing. Controleer of het vel en het dunne vlies onder het vel van de vis helemaal verwijderd is. Maak langs beide kanten van de ruggengraat een inkeping en verwijder de graat zonder de vis in tweeën te snijden.

2 Hak 40 g van de korianderblaadjes grof en klop ze met het limoenraspsel, de gehakte chilipepers en lente-ui door de boter. Schep het mengsel in de buikholte van de vis. Vouw de vis dicht en bind hem op met meerdere lussen keukengaren.

3 Leg de vis, zo nodig gebogen, in de pan van de slow cooker. Breng op smaak met zout en peper en giet er de bouillon omheen. Leg er het deksel op en kook 1½ uur op 'laag'. Draai de vis om en kook nog 30–45 minuten tot het vlees ondoorschijnend is en makkelijk met een mes in vlokken te verdelen is.

4 Doe de paksoi in de pan van de slow cooker en druk het blad onder het vocht. Leg er het deksel weer op en kook nog 15–25 minuten tot de paksoi bijtgaar is. Leg de vis voorzichtig op een ondiepe dienschaal en verwijder het keukengaren. Besprenkel met het limoensap en garneer met de rest van de koriander. Schik de paksoi om de vis heen en giet het kooknat in een schenkkan. Garneer met de partjes limoen en dien op met witte rijst of zachte noedels.

Gestoomde forel

Door deels stomen, deels koken, verhoogt u met slow cooking de smaak van deze forellen en versterkt u de smaak van de Chinese groenten erop. U heeft voor dit gerecht een ovaalvormige slow cooker nodig waar de forellen naast elkaar in passen.

Voor 4 personen

Voorbereidingstijd: 30 minuten
Kooktijd: 1¹/₄–1¹/₂ uur
Slow cooker maat: extra groot, ovaalvormig

4 forellen, circa 1 kilo totaalgewicht, schoongemaakt
   en de koppen verwijderd
4 cm verse gember
1 wortel
4 lente-uitjes
¹/₂ rode paprika
het sap van 1 limoen
2 theelepels zonnebloemolie
3 eetlepels sesamzaad
1 eetlepel sojasaus
2 limoenen, gehalveerd, voor het serveren
gebakken rijst met ei, voor het serveren

1 Verwarm zo nodig de slow cooker voor – zie daarvoor de gebruiksaanwijzing. Zet een schaaltje of taartvorm ondersteboven in de pan van de slow cooker. Giet zoveel kokend water in de pan tot het net onder de schaal of vorm komt.

2 Spoel de forellen onder de koude kraan en leg ze naast elkaar op een vel met boter ingevette aluminiumfolie. Snijd de gember, wortel, lente-ui en rode paprika in repen. Stop wat reepjes in de buikholtes van de vissen en strooi de rest erover. Strooi er het limoenraspsel over en besprenkel met het sap.

3 Verhit de olie in een koekenpan en bak er het sesamzaad in 2–3 minuten bruin in. Neem van het vuur, roer er de sojasaus door en giet dit mengsel over de forellen.

4 Vouw de folie tot een tent boven de forellen en maak goed dicht. Zet het foliepakje dan voorzichtig op de schaal in de slow cooker. Leg er het deksel op en kook 1¹/₄–1¹/₂ uur op 'hoog'. Controleer of de vis gaar is. Til het foliepakje uit de slow cooker. Maak het open en steek de punt van een mes in de vis – het vlees moet makkelijk in vlokken loskomen wanneer u er op drukt.

5 Neem de forellen uit het foliepakje. Serveer met gehalveerde limoenen om over de forellen te knijpen en geef er gebakken rijst met ei bij.

Grote, vochtige stukken vis, stukjes ander zeebanket en kleine pastavormpjes maken van deze frisse stoofpot met citroen en tomaat een heerlijke eenpansmaaltijd.

Voor 4 personen

Voorbereidingstijd: 30 minuten
Kooktijd: 2 uur en 20 minuten–3½ uur
Slow cooker maat: standaard

1 eetlepel olijfolie
1 grote ui, gehakt
2 tenen knoflook, gehakt
400 g gehakte tomaat uit blik
de geraspte schil en het sap van 1 citroen
4,5 dl visbouillon
1 eetlepel tomatenpuree
2 theelepels fijne tafelsuiker
500 g schelvis of heek, filets, in grote stukken
    gesneden
1 rode paprika, gehalveerd, zaad en zaadlijsten
    verwijderd, in blokjes gesneden
100 g kleine pastaschelpjes of macaroni
1 courgette, in blokjes gesneden
100 g diepgevroren, grote, gepelde garnalen,
    ontdooid en afgespoeld (desgewenst)
zout en peper
blaadjes verse basilicum of pesto, ter garnering
ciabatta of knoflookbrood, voor het serveren

1 Verwarm zo nodig de slow cooker voor – zie daarvoor de gebruiksaanwijzing. Verhit de olie in een koekenpan. Doe er de ui in en bak hem in 5 minuten goudgeel. Voeg de knoflook, tomaat uit blik, het citroenraspsel en citroensap, de bouillon, tomatenpuree, suiker en wat zout en peper toe. Breng al roerend aan de kook.

2 Doe de vis in de pan van de slow cooker. Voeg de paprika en pasta toe en zet alles onder de tomatensaus. Leg er het deksel op en kook 2–3 uur op 'laag' tot de vis en pasta gaar zijn.

3 Zet de cooker op 'hoog'. Schep er de courgette en garnalen als u die gebruikt door. Laat nog 20–30 minuten koken tot de courgette gaar is. Schep in ondiepe soepborden. Strooi er wat basilicum over of schep er wat pesto op en dien op met opgewarmde ciabatta of knoflookbrood.

visstoofpot

Zwaardvisbourride

Voor 4 personen

Voorbereidingstijd: 30 minuten
Kooktijd: 1 uur en 20 minuten–2 uur
Slow cooker maat: standaard

2 eetlepels olijfolie
1 grote ui, gehakt
2–3 tenen knoflook, uit de knijper
1 theelepel paprikapoeder
een flinke snuf saffraandraadjes
3 pruimtomaten, ontveld, het zaad verwijderd, gehakt
4 eetlepels witte wijn
1 eetlepel tomatenpuree
2 theelepels fijne tafelsuiker
2 grote moten zwaardvis of tonijn, circa 600 g, gehalveerd
200 g gekookt, gemengd zeebanket – zoals garnalen, mosselen en inktvis, afgespoeld
zout en peper

Serveren
rouille (desgewenst)
groene salade
stokbrood

1 Verwarm zo nodig de slow cooker voor – zie daarvoor de gebruiksaanwijzing. Verhit de olie in een koekenpan. Doe er de ui in en bak hem in 5 minuten goudgeel. Voeg de knoflook en het paprikapoeder toe en roerbak 1 minuut.

2 Schep er de saffraan, tomaten, wijn, tomatenpuree, suiker en wat zout en peper door. Breng al roerend aan de kook.

3 Leg de moten vis in de pan van de slow cooker en giet er de saus over. Leg het deksel op de pan en kook 1–1½ uur op 'laag' tot de vis gaar is.

4 Zet de cooker op 'hoog'. Schep er het zeebanket door en laat nog 20–30 minuten koken tot alles gloeiendheet is. Schep op dienborden en schep er desgewenst een lepel rouille op (mayonaise gemengd met fijngehakte rode chilipeper en knoflook). Geef er een frisse groene salade en opgewarmd stokbrood bij.

Tip
• Laat u niet in de verleiding brengen extra vocht erbij te doen – er zal aan het eind van de kooktijd voldoende kooknat zijn.

Gepocheerde zalm
met beurre blanc

Voor 4 personen

Voorbereidingstijd: 25 minuten

Kooktijd: 1½ – 1¾ uur

Slow cooker maat: standaard

100 g boter

1 grote ui, in dunne plakken

1 citroen, in schijfjes

500 g dik stuk zalmstaartfilet, niet langer dan 18 cm

1 laurierblad

2 dl droge witte wijn

1,5 dl visbouillon

3 eetlepels gesnipperde bieslook, plus extra ter garnering

zout en peper

schijfjes citroen, ter garnering

nieuwe aardappels en een groene salade

1 Verwarm zo nodig de slow cooker voor – zie de gebruiksaanwijzing. Vet de binnenkant van de pan van de slow cooker in met wat boter. Vouw een groot stuk aluminiumfolie drie keer dubbel en leg het onderin de pan van de slow cooker. Laat de uiteinden boven de pan uitsteken. Schik de plakken ui en de helft van de schijfjes citroen op de folie.

2 Leg er de zalm met de vleeskant boven op. Bestrooi met wat zout en peper en leg er het laurierblad en de rest van de schijfjes citroen op. Giet de wijn en bouillon in een steelpan. Breng aan de kook en giet dan over de zalm. Vouw de folie zo nodig passend op het deksel van de cooker. Kook dan 1½ –1¾ uur tot de vis ondoorschijnend is en makkelijk met een mes in vlokken te verdelen is.

3 Til de zalm met behulp van de foliereep voorzichtig uit de pan. Laat er zoveel mogelijk kooknat afdruipen. Leg de vis op een dienschaal. Verwijder het laurierblad, de citroen en ui en houd warm. Zeef het kooknat in een pan en laat in 4–5 minuten flink inkoken tot ongeveer 4 eetlepels.

4 Draai het vuur lager en klop er geleidelijk de rest van de boter in klontjes door tot de saus dikker en romig wordt. (Haast u niet bij het kloppen van de saus door de boter in een keer toe te voegen of door het vuur hoger te draaien omdat de saus dan kan gaan schiften.) Roer er de gesnipperde bieslook door en breng zo nodig verder op smaak.

5 Snijd de zalm in 4 porties. Verwijder het vel en doe de porties op dienborden. Schep wat saus rond de vis. Garneer met schijfjes citroen en sprieten bieslook. Dien op met nieuwe aardappels en een groene salade.

Desserts

witte chocolade

Deze romige custard, heerlijk boterig brood en net gesmolten witte chocolade wordt opgediend met een friszoete saus van blauwe bessen.

Voor 4–5 personen

Voorbereidingstijd: 35 minuten
Kooktijd: 4–4½ uur
Slow cooker maat: standaard, groot of extra groot

een half stokbrood, in dunne sneetjes
50 g boter, op kamertemperatuur
100 g witte chocolade, in stukjes gebroken
4 eierdooiers
50 g fijne tafelsuiker, plus 3 eetlepels extra voor het
   karameliseren
1,5 dl slagroom
3 dl melk
1 theelepel vanille-essence

Blauwe-bessencoulis

125 g blauwe bessen
1 eetlepel fijne tafelsuiker
4 eetlepels water

Garneren (desgewenst)

een paar blauwe bessen extra
wat witte chocolade, in stukjes

1 Verwarm zo nodig de slow cooker voor – zie de gebruiksaanwijzing. Besmeer de sneetjes stokbrood met de boter. Schik het brood in laagjes in een aardewerk ovenschaal van 1,2 liter inhoud. Deze moet makkelijk in de pan van de slow cooker passen (met rondom minstens 1,5 cm ruimte). Strooi de stukjes witte chocolade tussen de laagjes brood.

2 Klop met een vork de eierdooiers in een kom met de suiker. Giet de room en melk in een steelpan en breng tegen de kook aan. Klop er geleidelijk het eimengsel door en roer er dan de vanille-essence door.

3 Giet het roommengsel over de laagjes brood en laat 10 minuten rusten.

4 Dek de ovenschaal af met aluminiumfolie en laat hem dan met behulp van folierepen (zie pagina 9) in de pan van de slow cooker zakken. Giet zoveel heet water in de pan dat het tot halverwege de hoogte van de ovenschaal reikt. Leg het deksel op de slow cooker en kook 4–4½ uur op 'laag' tot de custard stevig is.

5 Maak intussen de blauwe-bessencoulis: draai de blauwe bessen met de suiker en het water tot een gladde puree. Giet in een schenkkan en zet weg.

6 Til de ovenschaal voorzichtig uit de pan van de cooker. Verwijder de folie en strooi de rest van de tafelsuiker over de pudding. Karameliseer de suiker met een crème-brûléebrander of onder een hete grill. Schep de brood-en-boterpudding in individuele dienkommen en strooi er desgewenst de extra blauwe bessen en witte chocolade over. Roer de blauwe-bessencoulis even door en schenk hem rond de pudding.

Vijgenvla met kaneelvla

Voor 6 personen

Voorbereidingstijd: 30 minuten

Kooktijd: 3–3¼ uur

Slow cooker maat: standaard, groot of extra groot

boter, voor het invetten

6 eetlepels Golden Syrup

150 g zelfrijzend bakmeel

½ theelepel dubbelkoolzure soda

1 theelepel gemalen kaneel

100 g uitgebakken niervet, koud, in reepjes

50 g vers broodkruim

175 g gedroogde vijgen, gehakt

50 g gedroogde abrikozen, gehakt

de geraspte schil en het sap van 1 sinaasappel

2 eieren, losgeklopt

Kaneelvla

400 g vanillevla

¼ theelepel gemalen kaneel

2–3 eetlepels sherry

1 Verwarm zo nodig de slow cooker voor – zie daarvoor de gebruiksaanwijzing. Vet een puddingvorm van 1,2 liter inhoud met boter in. De vorm moet makkelijk in de pan van uw slow cooker passen. Bekleed de bodem van de vorm met vetvrij papier. Schep er 2 eetlepels Golden Syrup in.

2 Meng het bakmeel in een kom met de dubbelkoolzure soda, kaneel, het niervet en het broodkruim. Voeg de gedroogde vruchten, het sinaasappelraspsel en sap, de eieren en de rest van de Golden Syrup toe en meng weer.

3 Schep de ingrediënten voor de vla in de ingevette vorm. Dek de vorm af met geplooide folie die u met boter heeft ingevet. Bind op met touw en knoop er een handvat in (zie foto en pagina 9). Zet de vorm op een ondersteboven in de pan van de slow cooker geplaatste schotel en giet er zoveel heet water bij dat het tot halverwege de hoogte van de vorm reikt. Leg het deksel op de slow cooker en kook 3–3¼ uur op 'hoog'. Til de vla uit de slow cooker en controleer of hij stevig is. Hij moet goed gerezen en bruin zijn en de bovenkant met bij indrukken met een vingertop terugveren.

4 Verhit de ingrediënten voor de kaneelvla in een pan en roer alles glad. Verwijder het touw en de folie van de vorm. Ga met een mes langs de binnenrand en stort de vla dan op een bord. Verwijder het bakpapier en dien op met de hete kaneelvla.

Rijke rijstpudding

Dit snel te maken nagerecht is geschikt voor iedereen die niet een of ander dieet volgt! Laat voor een speciaal effect het gedroogde fruit eerst 2–3 uur of een nacht lang in een beetje sherry of sinaasappellikeur weken.

Voor 6 personen

Voorbereidingstijd: 10 minuten
Kooktijd: 4–4½ uur
Slow cooker maat: standaard

boter, voor het invetten
9 dl volle melk
75 g puddingrijst
75 g fijne tafelsuiker
1½ theelepel vanille-essence
50 g gedroogde abrikozen, gehakt
50 g gedroogde kersen of een mengsel van
  gedroogde cranberry's, blauwe bessen en kersen
geraspte nootmuskaat, voor het bestrooien
lobbig geklopte slagroom en aardbeienjam, voor het
  serveren

1 Verwarm zo nodig de slow cooker voor – zie daarvoor de gebruiksaanwijzing. Vet de pan van de slow cooker met wat boter in. Giet de melk in een steelpan en breng hem net tegen de kook aan. Giet de melk dan in de pan van de slow cooker.

2 Voeg de rijst, suiker en vanille-essence toe en schep er dan de gedroogde vruchten door. Bestrooi de bovenkant met wat nootmuskaat. Leg er het deksel op en kook 4–4½ uur op 'laag' tot de rijst gaar is. Laat de pudding niet langer koken, omdat dan de melk zal gaan schiften.

3 Schep de rijstpudding in individuele dienkommen en schep er een paar lepels geklopte slagroom en aardbeienjam op.

Sinaasappeltaart

Voor deze klassiek Britse taart zijn ingrediënten uit de voorraadkast en vruchtenschaal nodig. U kunt hem net zo makkelijk ook met alleen citroen of citroen en sinaasappel maken.

Voor 4–6 personen

Voorbereidingstijd: 35 minuten
Kooktijd: 3–3¹/₂ uur
Slow cooker maat: standaard, groot of extra groot

2 sinaasappels, niet geschild

2,5 dl water

125 g boter op kamertemperatuur, plus extra voor het invetten

200 g fijne tafelsuiker

3 eieren, losgeklopt

175 g zelfrijzend bakmeel

¹/₄ theelepel gemalen kaneel

3 eetlepels Golden Syrup

1 eetlepel maïzena

1 Snijd een van de sinaasappels in dunne schijven. Rasp de schil van de andere en pers er het sap uit. Doe de schijven sinaasappel in een pan met het water. Leg er het deksel op en laat 20 minuten sudderen tot de sinaasappel gaar is.

2 Verwarm intussen zo nodig de slow cooker voor – zie de gebruiksaanwijzing. Vet de binnenkant van een puddingvorm van 1,2 liter inhoud met boter in. Doe de rest van de boter en 125 g suiker in een kom en klop met een houten lepel of elektrische handmixer licht en luchtig. Klop er om en om geleidelijk de eieren en het bakmeel door. Schep er dan de helft van het sinaasappelraspsel en de kaneel door.

3 Schep de gekookte schijven sinaasappel uit het water en bewaar dat. Schik de schijven dan licht overlappend in de vorm tot die ermee bedekt is. Schep er de Golden Syrup in. Voeg het romige mengsel toe en strijk de bovenkant glad.

4 Dek af met folie die u met boter heeft ingevet. Bind op met touw en knoop er een handvat in (zie pagina 9). Zet de vorm op een ondersteboven in de pan van de slow cooker geplaatste schotel en giet er zoveel heet water bij dat het tot halverwege de hoogte van de vorm reikt. Leg er het deksel op en kook 3–3¹/₂ uur op 'laag'.

5 Maak intussen de saus. Meet het bewaarde kooknat van de sinaasappel en sap af tot u 2,5 dl in totaal heeft. Hak eventueel overgebleven schijven sinaasappel fijn en schep ze met de rest van het raspsel en de suiker door het sap. Meng in een pannetje de maïzena met wat koud water tot een glad papje. Roer dat door het sapmengsel. Laat de saus al roerend tot een dikke, gladde saus inkoken. Zeef de saus desgewenst.

6 Verwijder het touw en de folie van de vorm – de cake moet goed gerezen zijn en de bovenkant moet bij indrukken met een vingertop terugveren. Ga met een mes langs de binnenrand en stort de taart dan op een bord. Snijd hem in parten en dien die op met de warme sinaasappelsaus.

met sinaasappelsaus

Vanille-kaastaart

Voor 6 personen

Voorbereidingstijd: 45 minuten, plus een nacht in de koelkast
Kooktijd: 3 uur
Slow cooker maat: groot of extra groot

Basis

50 g boter, op kamertemperatuur
50 g fijne tafelsuiker
50 g zelfrijzend bakmeel
1 ei

Kaastaart

300 g roomkaas
2 dl volle crème fraîche
50 g fijne tafelsuiker
3 eieren, losgeklopt
1 theelepel vanille-essence
poedersuiker, voor het garneren
gemengde bosvruchten, voor het serveren

1 Verwarm zo nodig de slow cooker voor – zie de gebruiksaanwijzing. Bekleed de basis en binnenkant van een diep, rond cakeblik van 18 cm doorsnee met bakpapier – gebruik hiervoor geen springvorm. Doe alle ingrediënten voor de basis in een kom of keukenmachine en meng tot een glad geheel. Schep in het cakeblik en strijk de bovenkant glad met een mes. Dek het blik los af met aluminiumfolie.

2 Zet het blik op een omgekeerde schotel in de pan van de slow cooker. Giet zoveel kokend water in de pan dat het tot halverwege de hoogte van het blik reikt. Leg er het deksel op en kook 1 uur op 'hoog'.

3 Maak intussen de kaastaart. Doe de roomkaas, crème fraîche en suiker in een kom. Klop er geleidelijk de eieren door en meng er dan de vanille-essence door.

4 Til het cakeblik met ovenwanten aan voorzichtig uit de pan van de slow cooker. Verwijder de folie – het biscuitgebak moet droog zijn en terugveren na indrukken met een vingertop. Giet het kaastaart-mengsel op de cake in het blik. Dek weer losjes af met aluminiumfolie en zet het blik terug in de pan van de slow cooker. Leg er het deksel op. Kook 2 uur op 'hoog' tot u de kaastaart lichtjes met de vingertoppen kunt aanraken.

5 Zet de slow cooker uit. Verwijder de folie en laat de kaastaart afkoelen terwijl het blik nog in het waterbad staat. Schrik niet wanneer de kaastaart tijdens het afkoelen wat inzinkt – dit is normaal. Til het blik wanneer het water nauwelijks meer warm is uit de pan. Zet het blik een nacht in de koelkast.

6 Neem de kaastaart voorzichtig uit het blik. Verwijder het bakpapier en zet de taart op een taartschaal. Bestuif hem royaal met poedersuiker en garneer hem met gemengde bosvruchten.

Tip

- **Controleer voor u begint of het cakeblik dat u voor dit recept gaat gebruiken makkelijk in de pan van de slow cooker past en ook volkomen waterdicht is. Gebruik geen springvorm, omdat daar tijdens het koken water in zal sijpelen.**

Klassieke crème brûlée

Na een tik op het dunne, gekarameliseerde suikerlaagje wordt er een fluweelzachte vanillecustard zichtbaar. Hoewel dit dessert in veel dure restaurants wordt geserveerd, is het thuis opvallend makkelijk te maken, zeker in een slow cooker.

Voor 4 personen

Voorbereidingstijd: 30 minuten, plus koeltijd
Kooktijd: 3–3½ uur
Slow cooker maat: standaard, groot of extra groot

½ vanillestokje
4 dl slagroom
5 eierdooiers
40 g fijne tafelsuiker
2 eetlepels poedersuiker, voor het karameliseren
gemengde bosvruchten, voor het serveren

1 Verwarm zo nodig de slow cooker voor – zie daarvoor de gebruiksaanwijzing. Snijd het vanillestokje in de lengte open. Doe het met de room in een steelpan. Breng de room net tegen de kook aan. Neem dan de pan van het vuur en zet hem 20 minuten weg, zodat de smaken kunnen intrekken.

2 Klop met een vork de eierdooiers in een kom met de suiker. Neem het vanillestokje uit de room. Schraap het zwarte zaad in de room. Breng de room weer tegen de kook aan. Roer er geleidelijk het eimengsel door. Zeef in een schenkkan.

3 Giet het mengsel in 4 soufflébakjes van 1,5 dl inhoud. Zet de bakjes in de pan van de slow cooker – u hoeft ze niet met aluminiumfolie af te dekken. Giet zoveel heet water rond de bakjes dat het tot halverwege hun hoogte reikt. Zorg dat u geen water in de bakjes knoeit. Leg het deksel op de slow cooker en kook 3–3½ uur op 'laag' tot de crème stevig is maar in het midden nog trilt.

4 Til met ovenwanten aan voorzichtig de pan uit het onderstuk. Laat afkoelen tot kamertemperatuur. Neem er dan de soufflébakjes uit en zet ze minstens 4 uur in de koelkast tot ze ijskoud zijn.

5 Bestrooi vlak voor het serveren de bovenkant met poedersuiker (u hoeft de suiker niet te zeven). Laat de suiker karameliseren met behulp van een crème-brûléebrander. Zet de bakjes als u geen brander heeft in een klein braadblik. Vul dat voor de helft met water en doe er ijsblokjes in. Zet het blik onder een hete grill en laat het suikerlaagje mooi bruin en krokant worden.

6 Zet de bakjes op dienborden en garneer met verse bosvruchten. Dien binnen 20 minuten op.

Gepocheerde perziken

Verse perziken zijn natuurlijk heerlijk, maar kunnen snel bederven. Presenteer ze op hun best door ze te koken in deze suikersiroop in Italiaanse stijl, met Marsala en vanille, voor een makkelijk maar chique nagerecht.

Voor 4–6 personen

Voorbereidingstijd: 15 minuten
Kooktijd: 1¼ – 1¾ uur
Slow cooker maat: standaard

1,5 dl Marsala of zoete sherry
1,5 dl water
75 g fijne tafelsuiker
6 stevige, rijpe perziken of nectarines, gehalveerd en de pitten verwijderd
1 vanillestokje, in de lengte opengesneden
2 theelepels maïzena
125 g verse frambozen
crème fraîche, voor het serveren

1 Verwarm zo nodig de slow cooker voor – zie daarvoor de gebruiksaanwijzing. Doe de Marsala of sherry met het water en de suiker in een pan en breng aan de kook.

2 Doe de halve perziken of nectarines en het vanillestokje in de pan van de slow cooker en giet er de hete siroop over. Leg het deksel op de pan en kook 1–1½ uur op 'laag' tot de perzik gaar is.

3 Schep de vruchten uit de slow cooker en schik ze op een dienschaal. Verwijder het vanillestokje. Schraap met een scherp mesje het zwarte zaad uit het stokje in de kokende siroop en roer even om. Meng de maïzena met wat water tot een papje. Roer dit papje door de kokende siroop en laat 15 minuten koken op 'hoog', waarbij u af en toe roert.

4 Giet de gebonden siroop over de perziken. Strooi er de frambozen over en serveer warm of koud met lepels crème fraîche.

Tips

- **Dit dessert is ook heerlijk met vanilleroomijs of met mascarpone, of met slagroom met verkruimelde amaretti-koekjes of ratafiabiscuitjes erdoor.**

- **Neem anderhalf maal de hoeveelheid ingrediënten voor een grotere maat slow cooker maar houd dezelfde kooktijd aan.**

met Marsala en vanille

Voor 6–8 personen

Voorbereidingstijd: 40 minuten
Kooktijd: 2–2½ uur
Slow cooker maat: groot of extra groot

50 g cacao
6 eetlepels kokend water
175 g zelfrijzend bakmeel
1½ theelepel bakpoeder
150 g fijne tafelsuiker
1,5 dl zonnebloemolie
3 eieren

Garneren

4 eetlepels chocolade-hazelnootpasta
4,5 dl slagroom
witte-chocoladekrullen (zie Tip)
een beetje gezeefde cacao

1 Verwarm zo nodig de slow cooker voor – zie daarvoor de gebruiksaanwijzing. Bekleed de bodem en wand van een diep taartblik van 18 cm doorsnee met bakpapier – gebruik voor dit recept geen springvorm. Doe de cacao in een kommetje en meng geleidelijk met het kokende water tot een glad papje. Laat afkoelen.

2 Meng het bakmeel in een kom met het bakpoeder en de suiker. Klop de olie met de eieren en voeg toe aan de droge ingrediënten. Schep er het cacaopapje bij en meng tot een glad geheel.

3 Giet het taartbeslag in het taartblik. Strijk de bovenkant glad met een mes en dek het blik dan losjes af met aluminiumfolie. Zet het taartblik op een ondersteboven gekeerde schotel in de pan van de slow cooker. Giet zoveel kokend water in de pan dat het tot halverwege de zijkant van het blik reikt. Leg het deksel op de slow cooker en kook 2–2½ uur op 'hoog', of tot de taart mooi gerezen is, de bovenkant droog is en een n het midden gestoken vleespen er droog uit komt.

4 Til het taartblik met ovenwanten aan voorzichtig uit de slow cooker. Stort de taart uit het blik over op een draadrooster. Trek er het bakpapier af en laat de taart afkoelen.

5 Snijd de taart vlak voor het serveren horizontaal in drie lagen. Leg de onderste laag op een dienschaal. Smeer er de helft van de chocolade-hazelnootpasta over. Klop de slagroom net stevig. Smeer wat slagroom over de chocoladepasta en strijk hem glad met een mes. Leg er een tweede laag taart op. Smeer ook daar weer chocoladepasta en room op. Leg er de laatste laag taart op en smeer de rest van de room over de bovenkant en zijkant van de taart. Strooi er witte-chocoladekrullen over en bestuif met wat cacao.

Tips

• **Controleer voor u begint of het taartblik in de pan van de slow cooker past en dat het waterdicht is.**

• **Maak chocoladekrullen door met een dunschiller over een op kamertemperatuur bewaard blok witte chocolade te gaan.**

chocoladetaart

Chocoladepotjes

met koffieroomlikeur

Dit dessert is erg makkelijk te maken, maar toch heerlijk decadent. Controleer wel eerst of de potjes of kopjes in de pan van de slow cooker passen. Desgewenst kunt u voor dit recept in plaats van pure chocolade melkchocolade gebruiken.

Voor 4 personen

Voorbereidingstijd: 25 minuten, plus koeltijd
Kooktijd: 2–3½ uur
Slow cooker maat: standaard, groot of extra groot

4,5 dl volle melk
1,5 dl slagroom
200 g pure chocolade, in stukjes gebroken
2 hele eieren
3 eierdooiers
50 g fijne tafelsuiker
¼ theelepel gemalen kaneel

Garnituur

1,5 dl slagroom
5 eetlepels koffieroomlikeur
chocoladekrullen, ter garnering

1 Verwarm zo nodig de slow cooker voor – zie daarvoor de gebruiksaanwijzing. Breng in een pan de melk en slagroom tegen de kook aan. Neem de pan van het vuur. Doe er de stukjes chocolade in en laat 5 minuten staan. Roer af en toe tot de chocolade gesmolten is.

2 Klop in een kom de eieren, eierdooiers, suiker en kaneel tot een glad geheel. Klop er geleidelijk de warme chocolademelk door. Zeef het mengsel vervolgens in vier ovenvaste potjes of kopjes van 2,5 dl inhoud.

3 Dek de potjes af met aluminiumfolie en zet ze in de pan van de slow cooker. Giet zoveel kokend water in de pan dat het tot halverwege de zijkant van de potjes reikt. Leg er het deksel op en kook 3–3½ uur op 'laag' tot de inhoud stevig is.

4 Til de potjes met ovenwanten aan voorzichtig uit de slow cooker. Laat ze tot kamertemperatuur afkoelen. Zet ze dan minstens 4 uur in de koelkast tot ze ijskoud zijn.

5 Klop vlak voor het serveren de slagroom tot zachte pieken. Klop er geleidelijk de likeur door en schep de room dan op de desserts. Strooi er wat chocoladekrullen over en dien op.

Pruimen-

Deze verrukkelijke taart, die u met wat slagroom ook als dessert kunt serveren, wordt gemaakt met gemalen amandelen en polenta in plaats van met tarwebloem. Daardoor is hij ideaal voor mensen die een glutenvrij dieet volgen.

Voor 6 personen

Voorbereidingstijd: 30 minuten
Kooktijd: 3–3 1/2 uur
Slow cooker maat: groot of extra groot

150 g boter, op kamertemperatuur, plus extra voor het invetten
200 g zoete rode pruimen, in dikke plakjes gesneden
150 g fijne tafelsuiker
2 eieren, losgeklopt
100 g gemalen amandelen
50 g fijne polenta (maïsgriesmeel)
1/2 theelepel bakpoeder
de geraspte schil en het sap van 1/2 sinaasappel
geklopte slagroom, voor het serveren (desgewenst)

Garneren

2 eetlepels geroosterde amandelsnippers
gezeefde poedersuiker

1 Verwarm zo nodig de slow cooker voor – zie daarvoor de gebruiksaanwijzing. Neem een ovale of ronde ovenschaal die makkelijk in de pan van uw slow cooker past en vet hem in met een beetje boter. Bekleed de bodem met een stuk vetvrij papier. Leg de halve pruimen met het snijvlak onder in cirkels onderin de ovenschaal.

2 Roer de rest van de boter met de suiker in een kom tot een licht en luchtig geheel. Klop om en om geleidelijk de eieren en gemalen amandelen door het botermengsel. Roer er de polenta, het bakpoeder, het raspsel en sap van de sinaasappel door en klop alles glad.

3 Schep het taartmengsel over de pruimen en strijk de bovenkant glad. Dek de schaal af met aluminiumfolie die u met boter heeft ingevet. Zet de schaal op een omgekeerde schotel in de pan van de slow cooker. Giet zoveel kokend water in de pan dat het tot halverwege de zijkant van de ovenschaal reikt. Leg het deksel op de slow cooker en kook 3–3 1/2 uur op 'hoog', of tot de bovenkant van de taart droog is en bij licht indrukken met een vingertop terugveert.

4 Til met ovenwanten aan voorzichtig de oven- schaal uit de slow cooker. Neem er de folie af en laat eventjes afkoelen. Ga dan met een mes langs de binnenwand van de schaal en stort de taart op een dienschaal. Verwijder het vetvrije papier. Bestrooi de bovenkant met geroosterde amandelsnippers en bestuif het geheel met wat poedersuiker. Snijd de taart in punten en dien ze warm of koud op met een lepel geklopte slagroom.

polentataart

Chutneys, conserven en drankjes

knoflookchutney

Geef een boterham met ham of kaas pit met deze smakelijke chutney. Als u niet van scherp eten houdt, laat u de chilipepers eenvoudig weg, maar als u van extra pikant houdt, gebruikt u ook het zaad van de chilipeper.

Voor 5 potten van 400 g per stuk

Voorbereidingstijd: 30 minuten
Kooktijd: 6–8 uur
Slow cooker maat: standaard

1 kg tomaten, het vel verwijderd, grof gehakt

1 grote ui, gehakt

2 moesappels, circa 500 g, geschild, uitgeboord en gehakt

2 rode paprika's, gehalveerd, het zaad en de zaadlijsten verwijderd, in stukjes gesneden

75 g sultanarozijnen

1 dl moutazijn

250 g kristalsuiker

2–3 grote, milde rode chilipepers, gehalveerd, het zaad verwijderd, fijngehakt

6–8 tenen knoflook, fijngehakt

1 kaneelstokje, in tweeën gebroken

½ theelepel pimentpoeder

1 theelepel zout.

peper

1 Verwarm zo nodig de slow cooker voor – zie daarvoor de gebruiksaanwijzing. Doe alle ingrediënten in de pan van de slow cooker. Meng ze even en leg dan het deksel op de cooker. Kook 6–8 uur op 'hoog' tot het mengsel dik is.

2 Warm onderin een oven op lage temperatuur 5 schone potten voor. Schep er de chutney in. Leg er een cirkel vetvrij papier op en laat afkoelen. Sluit elke pot af met een schroefdeksel en plak er een etiket op. Bewaar tot aan 2 maanden op een koele plaats. Na het openen van een pot moet u de chutney in de koelkast bewaren.

Tip

• **Wees niet bezorgd als de pan van de slow cooker erg vol is. Nadat het koken begint zullen de tomaten snel hun massa verliezen.**

Kruidige mangochutney

Deze zoete, fruitige chutney kunt u met kaas in een smakelijke salade serveren. Maar met poppadums en raïta is het ook een heerlijk voorgerecht van een Indiase maaltijd.

Voor 3 potten van 400 g per stuk

Voorbereidingstijd: 30 minuten
Kooktijd: 2½ – 2¾ uur
Slow cooker maat: standaard

1 grote mango
1 kleine pompoen, ongeveer 750 g, geschild, het zaad
   verwijderd, in blokjes gesneden
2 grote uien, gehakt
200 g lichtbruine basterdsuiker
1 dl witte-wijnazijn
4 cm verse gember, geschild en fijngehakt
1 theelepel komijnzaad, licht geplet
2 theelepels korianderzaad, licht gekneusd
1 theelepel zwart uienzaad
1 theelepel gemalen geelwortel
1 theelepel zout
peper

1 Verwarm zo nodig de slow cooker voor – zie de gebruiksaanwijzing. Snijd tot op de pit aan beide kanten van de mango een dikke plak af. Schil de mango dan en snijd het vruchtvlees in blokjes.

2 Doe de mango, pompoen en ui in de pan van de slow cooker en meng er de suiker en azijn door. Voeg de gember, het komijnzaad, korianderzaad, uienzaad en de geelwortel toe en breng op smaak met zout en peper. Leg er het deksel op en kook 2½ –2¾ uur op 'hoog' tot het mengsel dik is.

3 Warm onderin een oven op lage temperatuur 3 schone potten op. Schep er de chutney in. Leg er een rondje vetvrij papier op en laat de chutney afkoelen. Sluit elke pot met het schroefdeksel en voorzie van een etiket. Bewaar tot aan 2 maanden op een koele plaats. Na het openen van de pot moet u de chutney in de koelkast bewaren.

Ingemaakte pruimen

Ingemaakte pruimen zijn heerlijk bij vleeswaar, een salade of bij gepofte aardappel. Als u met wat lint of raffia een paar takjes gedroogde kruiden aan het hengsel van de pot bindt, is het een erg leuk cadeautje.

Voor 2 potten van 7,5 dl inhoud en 1 pot van 5 dl

Voorbereidingstijd: 20 minuten
Kooktijd: 2–2½ uur
Slow cooker maat: standaard

7,5 dl witte-wijnazijn
500 g fijne tafelsuiker
7 takjes verse rozemarijn
7 takjes verse tijm
7 kleine laurierbladen
4 takjes verse lavendel (desgewenst)
4 tenen knoflook, ongepeld
1 theelepel zout

½ theelepel peperkorrels
1,5 kg stevige rode pruimen, afgespoeld en ingeprikt

1 Verwarm zo nodig de slow cooker voor – zie daarvoor de gebruiksaanwijzing. Doe de azijn en suiker in de pan van de slow cooker. Voeg 4 van elk takjes rozemarijn en tijm en de laurierblaadjes, alle lavendel als u die gebruikt, de tenen knoflook en wat zout en de peperkorrels toe. Kook 2–2½ uur op 'hoog', waarbij u een of twee keer omroert.

2 Warm onderin een oven op lage temperatuur 3 schone potten op. Schep de pruimen strak op elkaar in de potten. Stop de overgebleven takjes kruiden in de potten. Zeef er de hete azijn in, waarbij u ervoor zorgt dat de pruimen volledig onder komen te staan. Sluit de potten dan luchtdicht af met rubber ringen en de deksels.

3 Voorzie de potten van een etiket en laat afkoelen. Zet ze in een donkere, koele kast en laat ze daarin 3–4 weken staan voor u ze gebruikt. Bewaar de potten na het openen in de koelkast.

Tip

• **Stop in elke pot pruimen in plaats van de kruiden een kleine gedroogde chilipeper en wat stukjes pijpkaneel, jeneverbessen en dun afgesneden sinaasappelschil. Tijdens het bewaren zullen de pruimen wat fletser van kleur worden.**

In dit recept worden naast de klassieke citroen ook limoen en sinaasappel gebruikt, waardoor er een heerlijke gelei voor op toost ontstaat. Gebruik in plaats van het mengsel van citrusvruchten 3 citroenen om een citroengelei te maken.

Voor 2 potten van 400 g per stuk

Voorbereidingstijd: 25 minuten

Kooktijd: 3–4 uur

Slow cooker maat: standaard, groot of extra groot

125 g boter

400 g fijne tafelsuiker

de geraspte schil en het sap van 2 citroenen

de geraspte schil en het sap van 1 sinaasappel

de geraspte schil en het sap van 1 limoen

4 eieren, losgeklopt

1 Verwarm zo nodig de slow cooker voor – zie daarvoor de gebruiksaanwijzing. Doe de boter met de suiker in steelpan. Voeg de geraspte schillen toe en zeef al het sap erbij. Laat circa 2–3 minuten onder af en toe roeren verhitten tot de suiker is opgelost en de boter gesmolten is.

2 Giet het mengsel in een kom die makkelijk in de pan van uw slow cooker past. Laat 10 minuten afkoelen. Zeef er dan geleidelijk de eieren bij en meng. Dek de kom af met aluminiumfolie. Leg folie-repen (zie pagina 9) in de pan van de slow cooker en zet er de kom op. Giet zoveel kokend water in de pan dat het tot halverwege de zijkant van de kom reikt. Leg het deksel op de slow cooker en kook 3-4 uur op 'laag' tot het mengsel heel dik is. Roer zo mogelijk tijdens het koken een of twee keer om

3 Warm onderin een oven op lage temperatuur 2 schone potten op. Schep er de citrusgelei in. Leg er een rondje vetvrij papier op en laat afkoelen. Sluit elke pot luchtdicht af met een schroefdeksel en voorzie ze van een etiket. Bewaar de gelei in de koelkast. Gebruik de gelei binnen 3–4 weken.

Tip

- **Een pot zelfgemaakte citrusgelei is een heel leuk cadeau. Versier de bovenkant van de pot met een cirkel bruin pakpapier of stukje dubbelgevouwen kaasdoek of stof met patroon. Bind dat vast met raffia of een lint. Maak het geheel af met een mooie theelepel en een kaartje.**

citrusgelei

appeljam

Deze lobbige jam in Franse stijl wordt met minder suiker dan gebruikelijk gemaakt. Omdat de timing met een slow cooker niet zo kritisch is, vormt dit recept een goede inleiding tot het maken van jam. In plaats van de bramen kunt u ook zwarte bessen of frambozen gebruiken.

Voor 4 potten van 400 g per stuk

Voorbereidingstijd: 20 minuten
Kooktijd: 4–5 uur
Slow cooker maat: standaard

1 kg moesappels, geschild, uitgeboord en gehakt
500 g kristalsuiker
de geraspte schil van 1 citroen
2 eetlepels water of citroensap
250 g bramen

1 Verwarm zo nodig de slow cooker voor – zie daarvoor de gebruiksaanwijzing. Doe alle ingrediënten in de hiernaast opgegeven volgorde in de pan van de slow cooker. Leg er het deksel op en kook 4–5 uur op 'laag', waarbij u tijdens het koken een of twee keer roert. Tegen het eind van de kooktijd moet het fruit dik en pureeachtig zijn.

2 Warm onderin een oven op lage temperatuur 4 schone potten op. Schep er de jam in en gooi de kaneel weg. Leg er een rondje vetvrij papier op en laat de jam afkoelen. Sluit elke pot luchtdicht af met een schroefdeksel en voorzie de potten van een etiket. Bewaar de jam tot aan 2 maanden in de koelkast. Door het lage suikergehalte is deze jam niet zo lang houdbaar als gewone jam en moet u hem in de koelkast bewaren.

Citroendrank

Bewaar deze drank in de deur van de koelkast en verdun hem naar wens met koud water of mineraalwater en heel veel ijsblokjes. Deze heerlijk verfrissende drank bevat geen onnodige toevoegingen. Wijnsteenzuur is bij de apotheek te koop.

Voor circa 20 glazen
Voorbereidingstijd: 10 minuten
Kooktijd: 3–4 uur
Slow cooker maat: standaard

3 mooie, onbespoten citroenen, gewassen en in
   dunne schijfjes gesneden
625 g kristalsuiker
9 dl kokend water
25 g wijnsteenzuur
munt of citroentijm, ter garnering (desgewenst)

1 Verwarm zo nodig de slow cooker voor – zie daarvoor de gebruiksaanwijzing. Doe de schijfjes citroen met de suiker en het kokende water in de pan van de slow cooker. Roer goed om tot de suiker bijna is opgelost. Leg het deksel erop en kook 1 uur op 'hoog'.

2 Draai de temperatuur lager en kook 2–3 uur op 'laag' tot de citroenen bijna doorschijnend zijn. Zet de slow cooker uit en roer het wijnsteenzuur door de inhoud. Laat afkoelen.

3 Schep er met een schuimspaan een deel van de schijfjes citroen uit en gooi die weg. Doe de drank met de 2 resterende citroenen in 2 gesteriliseerde potten met schroefdeksel. Sluit de potten goed af en bewaar tot aan 1 maand in de koelkast.

4 Verdun de drank voor het serveren met water in een verhouding van 1 op 3. Voeg ter garnering een paar schijfjes citroen, ijsblokjes en een takje verse munt of citroentijm toe.

Citruspunch

Deze warme, verfrissende en niet alcoholhoudende drank is perfect voor gasten die 's avonds nog naar huis moeten rijden. Varieer de combinatie van vruchtentheesoorten en specerijen naar uw eigen smaak. Probeer eens een mengsel van cranberrythee, vlierbesbloesemthee en frambozenthee met cranberrysap, of misschien kamille–vlierbesbloesemthee met gekneusd korianderzaad en sinaasappelsap.

Voor 8–10 glazen

Voorbereidingstijd: 10 minuten
Kooktijd: 2–3 uur
Slow cooker maat: standaard

6 zakjes citroen-gemberthee en kamille-kruidenthee
1,5 liter kokend water
150 g fijne tafelsuiker
3 eetlepels dikke honing
3 dl sinaasappelsap (uit een pak)
2 kaneelstokjes, in tweeën gebroken
10 kardemompeulen, gekneusd
1 sinaasappel, in schijfjes

1 Verwarm zo nodig de slow cooker voor – zie de gebruiksaanwijzing. Doe de theezakjes in de pan van de slow cooker. Giet er het kokende water bij. Voeg dan de suiker, honing, het sinaasappelsap, de kaneel, kardemompeulen met hun zwarte zaad en schijfjes sinaasappel toe. Meng alle ingrediënten.

2 Leg er het deksel op en kook 2–3 uur op 'laag'. Zeef desgewenst om de theezakjes en specerijen eruit te halen en schenk in glazen.

Bisschopswijn
met cranberry

Voor 8–10 glazen

Voorbereidingstijd: 10 minuten
Kooktijd: 4–5 uur
Slow cooker maat: standaard

een fles goedkope rode wijn (7,5 dl)
6 dl cranberrysap (uit een pak)
1 dl cognac, rum, wodka of sinaasappellikeur
100 g fijne tafelsuiker
1 sinaasappel
8 kruidnagels
1–2 stokjes kaneel, afhankelijk van de grootte

Serveren

8–10 lange takjes verse rozemarijn
1 sinaasappel
1 limoen
2–3 laurierbladen
een paar verse cranberry's

1 Verwarm zo nodig de slow cooker voor – zie daarvoor de gebruiksaanwijzing. Giet de rode wijn, het cranberrysap en de cognac of andere alcoholhoudende drank in de pan van de slow cooker en roer er dan de suiker door.

2 Snijd de sinaasappel in 8 partjes en steek een kruidnagel in elk partje. Breek de kaneelstokjes in een paar stukken en doe die met de partjes sinaasappel in de pan. Leg er het deksel op en kook 1 uur op 'hoog'. Verlaag de temperatuur van de slow cooker en kook 3–4 uur op 'laag'.

3 Vervang de partjes sinaasappel voor het serveren door nieuwe en voeg de laurierbladen en cranberry's toe. Schenk in vuurvaste glazen en houd desgewenst het fruit en de kruiden achter.

Index

Dankbetuiging

De auteur en uitgever wensen dank te zeggen aan
Morphy Richards voor het lenen van verschillende
maten en modellen slow cookers voor het uitproberen
van de recepten en het maken van de foto's voor dit
boek. bezoek voor verdere informatie de website van
Morphy Richards op www.morphyrichards.co.uk of
schrijf aan Morphy Richards, Talbot Road, Mexborough,
South Yorkshire, S64 8AJ. We wensen ook dank te
zeggen aan Prima voor het ter beschikking stellen van
verschillende slow cookers voor de fotografie. Schrijf
voor verdere informatie naar Prima, Prima House,
Premier Park, Oulton, Leeds, LS26 8ZA.

Hoofdredactrice: Sarah Ford
Adjunct-hoofdredactrice: Clare Churly
Redactrice: Jo Lethaby
Vormgever: Joanna MacGregor
Opmaak: Keith Williams
Fotograaf: Stephen Conroy
Huishoudkundige: Sara Lewis
Stiliste: Claire Hunt
Productiecontrole: Jo Sim